Meili 美丽天天有约
Tiantianyouyue

自然更美丽

李辁玲 著

广州出版社

珠海出版社

图书在版编目（CIP）数据

美丽天天有约：自然更美丽／李桦玲编著．——广州：
广州出版社，2002.10
ISBN 7 - 80655 - 426 - 2
Ⅰ.美…　Ⅱ.李…　Ⅲ.美容—通俗读物　Ⅳ.TS974.1

中国版本图书馆 CIP 数据核字（2002）第 074220 号

美丽天天有约——自然更美丽

广州出版社出版发行

（地址：广州市人民中路同乐路 10 号　邮政编码：510121）

珠海出版社

（地址：珠海市香洲区梅华东路 297 号　邮政编码：519001）

中国人民解放军第四二三二工厂印刷

（地址：广东省湛江市霞山区菉塘路 61 号　邮政编码：524002）

开本：787×1092　1/32　字数：200 千　印张：11.625
2002 年 10 月第 1 版　　2002 年 10 月第 1 次印刷

责任编辑：柳宗慧　何发斌

责任校对：李京华　装帧设计：郭　炜

发行专线：020 - 83793214　83781097

ISBN　7 - 80655 - 426 - 2 ／ R·66
定价：24.00（全两册）

如发现印装质量问题，请与承印厂联系调换

目 录

序一 ……… *1*

序二 ……… *2*

自序 ……… *4*

Ⅰ 自制天然护肤品

护肤智慧

自我测验皮肤的年纪 … 7

年轻的皮肤 ……… *8*

化妆水与美容液 ……… *10*

美容液的妙用 ……… *12*

矿泉水不能保湿 ……… *14*

预防斑点发生 ……… *16*

神仙油 ……… *17*

纯正茶花籽油 ……… *18*

乐观可护肤 ……… *19*

化妆品会致癌 ……… *21*

美白肌肤

发粉、牛奶护肤 ……… *23*

橄榄油护肤面膜 ……… *25*

肌肤又白又滑法 ……… *27*

天然磨砂剂 ……… *29*

年轻肌肤的条件 ……… *31*

防伤疤佳品 ……… *33*

粗毛孔变小法 ……… *35*

去除面部黄气 ……… *37*

除斑单方 ……… *39*

敏感皮肤 ……… *41*

皮肤出油 ……… *42*

糖与美容 ……… *43*

冬季防爆拆 ……… *45*

面上的白斑 ……… *46*

皮肤变黑 ……… *47*

自助牛奶浴 ……… *49*

鲜苦瓜美容法 ……… *50*

天然防皱法

应付小皱纹 ……… *52*

预防小皱纹 ……… *54*

芦荟泥护肤法 ……… *55*

芦荟去斑去皱纹 ……… *57*

头部的皮袋 ·········· 59

护发美发

消灭头皮屑 12 式 ······ 60

桑椹水生黑发 ·········· 62

养颜乌发何首乌鸡蛋汤······64

茶仔水洗发 ·········· 65

黑芝麻的魅力 ·········· 66

生发古方 ·········· 68

担心中年秃头 ·········· 69

早生白发的原因之一 ······ 70

护发新发现 ·········· 72

II 古法美容

传统方法

猪脚浆去皱纹 ·········· 74

古方保湿护肤膏 ········· 76

却老防皱单方 ·········· 78

去皱古方 ·········· 80

令面色变得白净 ·········· 81

治疗黑斑 ·········· 82

消灭暗疮

内外夹攻治暗疮 ········· 83

解毒灵方 ·········· 85

暗疮不能用手挤 ········· 87

粗盐按摩除粉刺 ········· 89

赶走油脂粒 ·········· 91

治暗疮药膏 ·········· 92

长发姑娘 ·········· 93

治暗疮汤水 ·········· 94

消暑养肤谈绿豆 ········· 95

奇难杂症

蟾蜍赖尿 ·········· 96

酒糟鼻 ·········· 97

千日疮 ·········· 98

治扁平疣的中药······100

脚板底的疣 ·········· 102

烧艾治疣 ·········· 103

III 抗老补益食疗

美颜食谱

木瓜润肤汤 ·········· 106

神仙草护肤汤水新版······107

胡菊人太太的护肤心得···108

让灵魂之窗更明亮 ······ 109

鱼，明目护肤 ……… *111*

黑眼圈拜拜 ……… *112*

拥有一双健康的眼睛 ……*113*

用醋来润肤 ……… *114*

不宜过量吃醋 ……… *116*

埃及妖后美容秘诀 … *118*

甘苦与共 ……… *119*

美容香茶 ……… *121*

护肤健体茶 ……… *122*

苦瓜茶美容美目 *123*

去干去黄小贴士 *125*

麻油菠菜舒解面红 …… *126*

茶叶养颜去口臭 …… *128*

龙眼核除狐臭 ……… *129*

去狐臭新法 ……… *130*

减肥之选

柠檬汁消脂 ……… *131*

去脂9大美食 ……… *133*

吃胡椒减肥 ……… *135*

减肥健美草 ……… *136*

延缓衰老

防癌养颜的洋葱 …… *137*

养颜抗老的杞子 ……… *139*

饮食肥腻　未老先衰 …… *140*

豆腐、豆浆的补益 *142*

吃黑芝麻青春常驻 …… *144*

姜醋是美容妙品 …… *146*

治病健体的水果 *147*

水果必须现洗现吃 …… *149*

从西瓜到冬瓜 …… *151*

牛膝草是什么 … *153*

神秘的九层塔 …… *154*

营养佳品

流行吃南瓜 ……… *156*

西瓜浑身是宝 …… *158*

冬瓜止咳 ……… *159*

饮薯仔汁通便 …… *161*

自制芦荟汁 ……… *162*

汲取优良钙质 …… *164*

番茄红素防治乳癌 …… *166*

Ⅳ　小病自疗法

失眠

明目安睡茶 ……… *167*

薄荷茶让你睡得香甜 ······169

失眠者宜戒甜食 ········ *170*

Dill 草助你入睡 ········ *172*

腰酸背痛

酒浸葡萄治颈背痛 ······ *173*

青葡萄干加白兰地 ······ *175*

治关节炎奇方 ·········· *177*

头痛

天然止头痛剂 ·········· *179*

生姜茶 ················· *180*

姜醋蛋 ················· *181*

黑糖老姜热饮 ·········· *182*

便秘

路路通 ················· *183*

萝卜汁加蜜糖 ·········· *184*

每日 2 只香蕉 ·········· *185*

驱走便秘 ··············· *186*

其他常见病

消除经痛 ··············· *187*

治闹肚的食品 ·········· *188*

鲜柠汁治耳鸣 ·········· *189*

猪油治燥咳 ············· *191*

止咳与美颜 ············· *193*

Caper 叶治痛风 ········· *194*

序一

　　美有"内在美"与"外在美"之分，内在美在于修身，在于养性，自我充实、自我提升；而外在美在于仪态与穿着打扮的修饰。所谓"天下没有丑女人，只有懒女人"，纵使不是天生丽质，但亦可"将勤补拙"，每个女人都应不断地追求知识，自我成长，与时并进，同时要配合大方得体的打扮，由内而外地散发出自信迷人的风采。

　　女性无论是扮演家庭主妇或是事业女性的角色，都必须保有其女性化的一面。在照顾家庭或主管事业之时，应该先从爱自己开始，在繁琐沉重的工作中，给自己一点空间，关爱照顾自己的心灵与身体，千万不要在不知不觉中，变成了整日唠叨，不修边幅的"黄脸婆"。

　　很庆幸李桦玲小姐在香港报章杂志上发表了许多美容秘诀，更常教人如何保养身体。原来花一点点时间，不止是可以使自己更美，还可以更健康。桦玲是"美的使者"，提供她的事业知识与经验，与大家分享。她告诉了大家，原来追求美是那么的不费工夫，那么的简单，只要有心，美将伴随你而去！

江素惠

序二

花样年华似水流，抓不住。人生青春不常有，但愿青春留，这是人皆有之的心态。

近年美容品厂商觑准了现代人这种普遍的心态，纷纷推出各式各样护肤美容品，其内添加了许多宣称有独特美白纯化、去脂养颜的活性元素：例如有防止阳光催老作用的抗氧化维生素，有促进表皮细胞新陈代谢的绿藻素，也有持湿作用的尿囊素和紧肤功效的植物精华如金缕梅等等，而一些护肤面霜甚至添加海产蛋白为营养，又或以羊胎素作为修护老化皮肤胶原蛋白的活细胞素。总之，今日的护肤美容品在配方设计上可说各显心思，而且大多标榜以天然蔬果精华为活性成分，所以亦形成近年一股以天然植物精华为护肤品的潮流。

既然这类天然护肤品取诸自然，以各类寻常蔬果和食物为活性成分，何不尝试一下在自己办公室或家居之内，信手拈来一些天然物品作护肤美容之用呢？也许因为您不知个中窍门，所以不知如何入手吧？好了，如今问津有人啦。好友阿玲（作者）最近把多年来以寻常天然蔬果和家居物品护肤美容的心得和秘诀公诸于世，先在她的报章专栏内发表，引来大批女性读者的浓厚兴趣，经常来信向她请教。最近她还把这些美白肌肤、天然防皱、护发美发的智慧编辑成书，公诸同好，相信关注自己肌肤容颜健美的人必会先睹为快。

艾美姿

自序

　　这本书内的各式美容护肤单方并不是我的发明，而是我的发现，当中有部份是与读者朋友们通信交流护肤心得的"成果"。所以，这本书是大家的，如果受到称赏，这份光荣也是我们一起拥有的。因为我们都在做着一件有益世道人心的事，在修理皮肤、留住青春的同时，也明白到，一个人的美丽，不能单看外表是否皮光肉滑，明艳照人，最重要还是看看我们是否有一颗美丽健康的心。

　　要外表漂亮动人并不艰难，恒常使用那几十个"秘方"已经令你有了一个惊喜又一个惊喜。在这个充满物欲诱惑的社会里，要能保持一份赤诚，一个健康的身心，就非要有成熟的心智，以及一份坚持不可。

　　我是这样认为的。

　　况且有诸内形诸外，我以为女人的美丽在于气质(quality)。因为气质可以陪你靓到九十岁。

　　当然，如果内外兼备，既漂亮又有气质，就最完美了。

　　这本书收录了我在报章专栏内刊登过的护肤文章一百二十五篇，编辑成这本书，让大家可以整整齐齐人手一本，不必再日日影印剪存，费时费事。

李铧玲

2001 年初夏

于九龙塘寓所

I 自制天然护肤品

护肤智慧
美白肌肤
天然防皱法
护发美发

自我测验皮肤的年纪

你想知道你的皮肤有多好吗？教你一个很简单很有效又很有趣的"皮肤年纪测试方法"。

今晚你卸妆洗面后，什么都不要涂（就是说连爽肤水都不要涂），然后看看皮肤紧绷的感觉可以持续多少分钟。

一般来说，在室温24℃的状态下，洗面后的皮肤在三十分钟至一小时之内紧绷感觉消失的话，即表示你的皮肤表皮可以形成保护自己的皮脂膜。这就表示你拥有健康的肌肤，是二十几岁的肌肤。

虽然如此，这并不表示你的皮肤永远都能保持在这个健康的状态。例如生病、失眠、睡眠不足等等，皮肤就会暂时失去制造皮脂膜的功能，或者是不能顺利地制造皮脂膜，于是皮肤就会变得暗哑无光、浮肿、失去弹力、出痤疮等。

因此，最好能够每个月用上述的方法测试皮肤一次，看看状态如何。

为了让肌肤永保青春，洗面后抹上爽肤水，不要再涂任何的 cream，等待半个小时后（让皮肤自行制造皮脂膜），然后再抹上一点纯正茶花籽油在面颊上，按摩二至三分钟。

年轻的皮肤

让皮肤永远年轻的方法有下列几个，也是我这多年以来实行的，像做实验一样，效果当然很好。试试在这里与你分享。

护肤品——我洗手间的梳妆桌上只有几瓶东西，包括了：

洗面乳液（超级市场销售的，属大厂牌子，很便宜）

婴儿肥皂

眼部卸妆液（超级市场货）

爽肤水（超级市场货）

保湿精华液（超级市场货）

鲜柠檬

纯正茶花籽油（因为没有混入其他用以稀释的菜油，所以质地很浓稠，有香浓的焦烟味，这是茶花籽给压油后的味道）

意大利橄榄油（超级市场货，煮食用的那种）

使用的程序——如果你化了妆的话，应用洗面乳液抹在面上，涂匀，马上用温水洗净。再用婴儿肥皂搓出的泡沫洗面一次，把残留的脂粉清除。如果你的眼部化了妆的话，先用眼部卸妆液把眼线、睫毛液等东西洗掉，才开始用洗面乳液洗面。

要是你那一天没有化妆（面上完全没有粉底液之类的化妆品），那么你只用婴儿肥皂搓出的泡沫来洗面就已经足够。

洗面后用毛巾印干水分，然后开始日常的基本护肤程序。请记着用洗面乳液抹上脸后，应立即洗面，不要让它留在脸上超过两分钟。

化妆水与美容液

洗面后的护肤程序，首先用的是爽肤水。

（1）爽肤水（化妆水）——一般分为不含酒精成分的以及含酒精成分的两种，日本人称之为化妆水。主要作用是把残留在面孔上洗不清的肥皂液或者是污垢化解。同时，替因为洗面时流失了水分的角质层补给水分。

正常的情况下应该使用不含酒精成分的化妆水。

如果你的 T 字位出油特多，在化妆前，最好抹一点含酒精成分的化妆水在 T 字部位，以保妆容。

这就是两种化妆水的不同用法。

切记，使用时要在化妆棉上滴上两三滴鲜柠檬汁，因为这些液体必然含有一定份量的化学剂作为防腐之类的功用，直接抹到肌肤上，谁敢担保肌肤不受损害？鲜柠檬汁就有化解这些化学剂的功效，且有漂白去黄气的效果。

（2）美容液（精华素）——化妆水的作用在于补充水分而美容液的作用在于保湿，阻止肌肤的水分流失。如果保湿做得妥善，角质中的水分就不易蒸发，令肌肤在任何情形下都保持在润滑的状态。

一般而言，美容液具有黏度，大多不含油分，但近年已有含油脂成分的美容液。

使用时，一定是在化妆水之后。

四十岁以前的肌肤，我认为不必使用美容液，到了四十岁，皮脂分泌量大减，表皮的水分丧失量增高，美容液的保湿效能，在此时就大派用场。

美容液的妙用

洗面后，如果用化妆水（爽肤水）和美容液（精华液）来进行保湿护理后，仍然觉得干燥，你可以用以下其中一个方法来处理，保证你要多谢我。

（1）再把美容液（几滴）倒在掌心，待它在掌心温热至和体温相同的温度，然后涂在皮肤上。接着用手指顺着肌肉，从脸的内侧朝向外侧，以螺旋状轻轻按摩约三分钟。

切记按摩时，手指绝对不能施力。

（2）洗面后使用化妆水和美容液进行保湿护理后，发现皮肤依然干燥，有很多人（可以说百分之九十以上）以为抹上什么日霜或晚霜等面霜就可以解决问题（而售卖化妆品的售货员的确是这样引导消费者）。

我在这里告诉你，这是错误的。你也许曾经身受其害，花了不知多少钱买什么 cream 什么霜，结果皮肤还是一样的干，一样的出皱纹。

现在我教你的这个方法是，用美容液来敷面，作为洗面后更彻底的保湿护理。

方法十分简单，在化妆棉上沾上美容液（不含油分的），然后敷在干燥的部位两至三分钟即可。翌日你会发现皮肤的润滑程度原来可以这样骄人！

另外有一错误的理解是，有人以为喷些矿泉水在干燥的肌肤上就有救。他们忘记了，当喷在脸上的矿泉水蒸发时，也把肌肤表面的水分一并掠夺掉，因而令肌肤更干燥。

相信许多人都曾经有过这种弄巧成拙的经验。

矿泉水不能保湿

美丽肌肤的要素在于能够保湿。而保湿不是单往脸上喷矿泉水就可以，因为当脸上的矿泉水蒸发时，也会一并把肌肤表层的水分带走，这就变成了得不偿失。

以前我也有过在飞机上喷矿泉水以令皮肤得到湿润的经历。结果是，皮肤愈来愈干。你也有这个可怕的经历吧？

所以要外出公干飞行前，先在脸上抹上美容液，就万无一失。如果在飞行期间出现皮肤绷紧干燥的感觉，就在脸上抹点美容液。

在我的护肤品里，近来加添了一名成员，就是纯正茶花籽油。

我使用的方法是，晚上洗面后，抹上化妆水和美容液，待半小时后，在面颊两边各点一滴茶花籽油。然后用手指打圈按摩两至三分钟（日本女人用茶花籽油来去斑，会按摩二十分钟），以作更深层的湿润和保湿。

　　而此油亦可以当眼霜用，抹在眼部有干纹的地方，有读者来信说三日后见效（如要抹在眼部，就不必待半小时，洗面后即抹）。

　　让脸上肌肤待半小时才抹茶花籽油的目的，就是让皮脂腺自行分泌皮脂在表皮上，形成皮脂膜来润泽我们的皮肤。这是它的主要存在价值，所以我们常常说，皮肤构造本来就可以使肌肤随时保持美丽。

　　是以这年半以来，我不曾用过任何 cream 来护肤。

预防斑点发生

为什么保湿一定要用特别的"水"，例如乳液、纯正茶花籽油等。

答案是，如果单纯用普通的水或矿泉水来作保湿剂，你就得不断地"加水"，因为当水遇到干燥空气，便会蒸发殆尽。

此外，水不管是天然的，还是经过了化学剂净化的食用水，都未必有利于皮肤，个中道理十分浅显。

一般洗面后，抹上了化妆水和美容液之后已经足够，真皮中的油脂腺会在半小时内分泌油脂到角质层，履行它应做的责任——保护我们的皮肤，使它润泽、柔软有光彩。但随着年龄的增长，或者是个人皮肤的质地，特别是眼部四周的皮层由于没有油脂腺的分布，要滋润就得靠外来的护肤品。

此外，有些人的皮肤质地（与体质有关）是容易长雀斑或者是其他斑点的，就不能只单纯地使用化妆水和美容液就一了百了。

我的做法是，除了临睡前和早上化妆前抹上一两滴可以保湿去斑的纯正茶花籽油外，就是在日间（如必须外出）抹上含防晒作用的粉底。事实上，适当的粉底除了可以阻止紫外线的入侵之外，还有改善皮肤色泽，让皮肤增加美感的功效。能够阻止紫外线的入侵，就已经可以预防某种斑点的发生。

神仙油

纯正的、不混有其他植物油的茶花籽油，营养丰富，是各种现成的油类中最适合护肤的，既可保湿，又能去皱去斑印、去暗疮等等。我发现这种茶花籽油的好处后，马上与我的读者们一起试用，效果奇佳，于是就以"神仙油"来称呼它。

茶花在日本称为"椿花"，结子期长达五个月。日本最大的护肤化妆品公司资生堂，成立于明治时代，起初以生产肥皂及牙膏为主。创办人早知道茶花籽油对护肤的好处，于是资生堂就以茶花作为 logo，并出版一本美容期刊，此刊物就以《椿》为名称。

我在日本时因为要做功课，是以常常要到资生堂在银座的总办事处找资料，因此也阅读了资生堂的历史。

红色的茶花在日本人心目中代表了武士道的精神。因为茶花凋谢时不是一瓣一瓣地飘落，而是整朵花像给斩头一样掉下，就像奉行武士道的日本人，亲自切腹后，即让同僚把头斩下，殷红一片。

无论如何，纯正的茶花籽油是护肤佳品，确是不争的事实。早前流行插襟花，日本的大小时装公司都应时推出各式襟花，其中又以茶花最多，单托的、双托的，应有尽有。

纯正茶花籽油

洗面后，抹了 toner 加两滴鲜柠檬汁，再抹上两点纯正茶花籽油之后，是否不用再涂任何日霜或晚霜？

对。我就是这样让皮肤保湿、滋润、去斑及防止干纹的出现。佛吉尼亚州读者 Peggie 说，她洗澡后会全身抹一点纯正茶花籽油，用了一个星期，效果非常好，因长期操劳而变得粗糙的双手，亦因茶花籽油的关系而回复滑净了。

这些体验，一定要亲身经历过才有感觉，纸上谈兵，一切都是空谈。听朋友说，发现纯正茶花籽油好处的本地人士，除了食家柳和清先生外，还有旅游家蔡澜先生。

把这种纯正的、没有经过精炼、没有加进其他植物油来作稀释的纯正茶花籽油带进香港的，却是一位十分热心的读者。她因为注重护肤，于是千方百计找到了这种油，以飨皮肤有问题的人士，且用非常廉宜的价钱出售。

乐观可护肤

女人三十多岁，但看上去像四十多岁，自然十分忧心也十分尴尬，如何才能拥有紧致滑净的皮肤？

皮肤的好与坏，除了与生理有关外，与心理也有关系。外面的压力，自己的多心多疑、精神紧张、忧郁、坏脾气等都会使皮肤变坏及不正常。

所以首先应让自己整日都身心舒畅，每一件事都从积极方面去想，培养自己有一颗平常心，常常保持心境愉快面带笑容，皮肤自然会转好。

此外，在食物方面，多吃绿色蔬菜和海藻类食物，少吃肉类。然后每星期守斋一天，即是那一天只吃水果和蔬菜类，太饿时可以吃一两片面包。

多饮温开水，每一小时喝一杯，一星期后你会发现自己皮肤有明显的改善，最重要是每日肠胃畅通，精神奕奕。

要有优质的睡眠，一觉到天明，不会整晚乍睡乍醒的。每日下午小睡十分钟。

运动四肢，可以的话，每日最好有十五至二十分钟做些柔软体操。

使用适当的护肤品及洁肤程序。这个很重要，不要人云亦云，胡乱听信某某牌子的去斑膏有效就随便购买及使用；

要有自己的判断力和见解，不然，你的梳妆柜只会堆积着一大堆用不着的护肤品，既不环保又浪费金钱，不是很傻吗？

化妆品会致癌

在一本具权威性的政经杂志上看到一则有关化妆品成分的短文，不无悸动。这段文字揭示："瑞士科学家对一系列受市场欢迎的化妆品和防晒霜成分进行检验后发现，这些化学成分在一定程度上与雌激素的作用相似。"

大家都知道，雌激素是影响动物发育的一种激素，例如可以促使家禽快高长大等。

研究人员把化妆品其中一种化学成分注入一只幼雌老鼠的皮肤上，发觉这只老鼠的子宫发育速度竟然增加一倍。

同时，研究人员还发现，"这些类似的化学成分还会造成癌细胞繁殖。"当我们使用这些合成的化妆品和护肤品时，不是一步一惊心吗？

这则短文继续说道："科学家指出，目前虽然还不知道这种化学成分会对人体造成什么伤害，不过由于试验中使用的化学成分浓度与化妆品的合法含量相同，所以此结果值得大家关注。"

目前市面上受欢迎的化妆品和护肤品都价钱不菲，如果当中所含有的化学成分真会致癌的话，那么，消费者不是在贴钱买难受，日日在不知不觉中进行慢性自杀吗？或者反过来说，化妆品的生产商们正在进行谋杀呢！

　　所以，大家一定要小心选购化妆品和护肤品，尤其是不要轻信护肤品广告的吹嘘，最稳妥安全的办法，当然是使用天然物品了。因为不幸用上含有致癌物质的产品，最终受害的还是自己。

发粉、牛奶护肤

如何对付有皱纹，又干又枯又粗糙的皮肤呢？

可以用三款全天然的美容浆。

材料：半个蛋黄，15 克橄榄油。

制法：先把蛋黄搅烂，在搅烂期间，慢慢地加入 15 克橄榄油，把二者搅匀。

用法：把美容浆涂抹在面上和脖子上，并即时进行轻轻的按摩。20 分钟后，用温水及婴儿肥皂清洗。这种美容浆具有强壮和软化肌肤的作用，令肌肤回复弹性和光泽。

还有一个美容浆是利用发粉来造的。

材料：发粉 10 克，牛奶适量。

制法：把牛奶徐徐倒入发粉内，徐徐搅拌，至发粉成糊状即可。

用法：把这些美容浆敷在面颊上、额上。20 分钟后，用温水清洗。这是用来对付正常皮肤的。

另一用发粉调配的美容浆是：

材料：发粉 10 克、橄榄油。

制法：把橄榄油徐徐倒入发粉内，徐徐搅拌，发粉变成糊状即可。

用法：把这种美容浆敷抹在面颊上、额上。20 分钟后，用婴儿肥皂及温水洗净。这是用来对付干性皮肤的。

橄榄油护肤面膜

一提橄榄油（Olive Oil，在超级市场可以买到），话题就多。

用橄榄油可以自制一些敷面的面膜。

用1/4个木瓜（小型的木瓜）、蜜糖一茶匙、橄榄油数滴，然后一起搅烂成糊状。

做完磨砂后，就把这种浆液涂敷在面上（避免眼部四周），20分钟后，用温水、婴儿肥皂清洗，是很好的润肤方法。

如果你以往很少打理皮肤，如今皮肤粗糙不堪，而且既残又脱皮的话，我介绍你用以下的护肤面膜：

将一个蛋黄加一茶匙橄榄油，再加一茶匙液状的蜜糖，然后一起搅匀。

接着的工夫是，用软刷或棉花，将这些美容浆抹涂在面上和脖子上。第一层干了之后，再涂第二层，干了之后，再涂第三层。

让面上的美容浆全干了，用温水及婴儿肥皂清洗。这种治疗干枯脱皮肌肤的敷面法，应该每星期进行两次，连续做六个星期，可令你的肌肤重现生气。三个月后，再重复这个疗程一次。

这次之后，肌肤已回复正常。那么你以后的面膜就不必再用这个复杂单方，而可改用一般的单方了。

爱惜皮肤是好事，但太爱惜又会变成坏事。所谓"过犹不及"，过分呵护皮肤都会造成一种负担。

适可而止就可以了，不必太在意。

这些护肤及改善肌肤质地的方法，希望可以令你有更美丽的皮肤。

肌肤又白又滑法

我用的护肤品都很简单，大部分都是天然的，可以随手拈来，既便宜，成效又大，最主要是避免了伤害皮肤的化学剂。

例如我每星期做一次的磨砂，材料是橄榄油加砂糖。一小茶匙砂糖，再加入几滴橄榄油就可以。然后涂在面颊上，用手指轻轻地自内向外打圈（手指不能施力）。两分钟后，用婴儿肥皂及温水洗面，这时候你用手触摸皮肤，你会发现皮肤原来可以这样滑溜。

做完磨砂之后，皮肤毛孔扩张，如果不作即时的收敛，皮肤毛孔就会变得粗大，像潮州柑一样。

收敛毛孔的方法就是做面膜。

我使用的面膜剂是蛋白或者蛋黄。蛋白较干，可以放一点蜜糖，搅匀用。

蛋白面膜，效果一流。

或者纯用蛋黄，加入少许蜜糖，及一汤匙橄榄油，柠檬汁四滴，搅拌成泥浆一样。

使用前，先用热毛巾敷面半分钟，接着把蛋泥浆敷在面上（避开眉毛及眼四周），躺下，休息二十分钟，用温水及婴儿肥皂洗面。

这个方法最适合软性皮肤。

　　根据美容专家说，如果你希望皮肤变得又白又滑的话，可以在这个"泥浆"内多放入两汤匙江米粉，搅匀，一起敷用，包你的肌肤又白又滑。

　　做面膜护肤，一般来说，每星期两次已足够，太多反而不好。

天然磨砂剂

橄榄油加砂糖做磨砂会不会很油腻?

砂糖一茶匙，橄榄油几滴，搅匀，轻轻在面上磨两分钟，用温水及婴儿皂清洗，何油腻之有?

如眼肚有细纹，我会学日本女人使用的民间秘方，就是早晚洗面后搽一点茶油，然后用手指像弹琴一样，轻弹这个部位半分钟至一分钟。不要随便使用 eye cream 一类的物料，因为不是每一个牌子都适合任何皮肤。

况且 cream 里有什么化学物质，我们都不知道。所以，我一直主张大家用天然物料来护肤。便宜是其次，安全最重要。

茶油也可以代替橄榄油，与砂糖混在一起造成磨砂剂，效果一样美妙。不过，有读者用了我提议的甘油加砂糖来做面部磨砂剂，说效果比橄榄油还要一流，你亦不妨试试。甘油在一般药房可以买到。

我则用甘油加砂糖来作手背按摩及磨砂剂，磨两三分钟，用水及肥皂洗净，再抹上茶油滋润，真是爽极。

我对甘油之所以印象深刻兼有好感，是因为小时候常见外祖母把少许甘油用水稀释后当面霜及护手霜来搽面和手脚。她最推崇甘油，认为甘油是润肤佳品。她是不搽雪花膏等等一类护肤品的。

我家里世世代代的女人都贪靓，尤其在意皮肤，我是耳濡目染，有样学样。

年轻肌肤的条件

在日本参观上百年历史的庙宇，最令我感兴趣的是那些黑亮粗大的木柱子，虽然经过了几百年时间的侵蚀，眼前的柱子，依旧木肌光亮，毫无老朽的现象，真是不可思议。我问专家这些木是如何护理的，专家说，早在古老的年代，日本人已经晓得使用特别的方法来防止木肌的破裂。

这个方法就是在柱的中心凿一孔，然后在孔里注入一种特别的油，让油在往后漫长的岁月里慢慢渗入木材各部分。因此木材的干燥速度就会减慢，柱子就不会收缩，不容易出现裂痕。

日本人也用这种油来抹拭刀口，让刀剑不会生锈。因为这种油有保湿作用，于是日本女士们就用它来护肤及搽头发。

这种油叫"神仙油"，真正的名称是山茶油或茶油，因为是从山茶花（Camellia，在日本称为"山椿"或"海石榴"）的果实榨取的油。在众多植物油中，只有两种油被称为不干性油，一种是橄榄油，另一种是山茶油，而又以山茶油最好，最能保湿，亦最难氧化。

年轻皮肤的条件是：湿润、不干燥、有弹性。

听说山茶油也有消除面上黑斑的功效。有人每晚临睡前，在掌心滴几滴茶油，然后用手指尖轻轻地沾到面上，再像弹琴一样弹几下。一个月后黑斑变淡了，三个月后黑斑几乎消失。

防伤疤佳品

曝晒后用新鲜芦荟泥来护肤，不但可以遏止雀斑、黑斑的发生，还可以遏止皱纹（干纹）的出现。这个疗程最少要一个星期每天做一次。

此外，爬山时不小心接触到某些植物而引致皮肤痕痒红肿等等，回家后割一片芦荟，把绿色外衣撕去，用透明啫喱状的部分磨擦红肿的部位，让液汁留在皮肤上，不多久，痕痒红肿都会消退。所以家里必须种植一盆芦荟来看门口。例如煮菜时不小心给热油溅伤，或给滚水烫伤，甚至给刀割伤，马上割下一片芦荟叶，连绿色

部分一起春烂，连汁一起涂在脱脂棉上，盖在伤口上约一小时，疼痛便会消失，连疤痕也没有。

专家提出，芦荟有止血和中和毒素的作用，又有防止细菌入侵伤口的功效，故能加速伤口愈合。此外，芦荟还有修复皮肤组织的能力，因此伤口愈合后疤痕不会太明显，有时甚至可以令肌肤完好无缺。也因此，芦荟能治愈出完暗疮后的粗糙皮肤，令皮肤回复平滑，疗程大约四个月。

在此提醒一下大家，使用芦荟时，最好就是先把外层绿色的部分撕去，只用透明啫喱部分。如果要把绿色部分一并使用的话，那么，请你先用热水把叶烫一下，清洗干净。这样才可以有效地防止附在绿叶表面的细菌引致伤口化脓。不过，如果是轻伤，在患处直接擦上绿叶汁亦可。在花园遇上蚊叮虫咬，芦荟汁是止痕止痛的佳品。

粗毛孔变小法

记得曾经收过一封信问："我的毛孔很大，十分不美观，有方法令毛孔收小吗？"

我那位来自美国的朋友 Peggie 教我说："把毛孔收小是很简单的事情。到干货店买一斤粗盐（海盐），然后一星期两次，洗面后，用粗盐来给面部做磨砂，尤其是毛孔粗大的部位，用粗盐慢慢的轻轻的，从内至外打圈的磨，两分钟即可。接着用温水把面洗净，抹上化妆水和保湿剂（美容液）即大功告成。磨到第三次，你已经看到皮肤的质地出现了显著的进步，毛孔明显地变小了。"

盐是既平凡、又珍贵的天然物质，它与我们的生活，有着不可分割的关系。

专家指出，我们吃盐是为了吸取其中的钠。为什么呢？因为钠在人体中可以产生"渗透压"，能直接影响细胞内外水分的流通，维持体内水分的正常分布，及时补充人体所需的盐分。

钠是人体必需的物质，我们的身体如果缺钠，就会百病丛生，例如会出现血压低、头晕眼花、作呕作闷、呕吐、食欲不振、四肢无力等等。

在夏天，人体出汗比平时多，如果不及时补充盐的话，就会引起中暑。

此外,长期不吃盐除了四肢乏力之外,头发亦会提早变白。

但专家又说人体摄入过量的盐,就会引致高血压、血管硬化、胃癌、肾癌等等。

去除面部黄气

面色比较黄而且暗，买了大小牌子的美白护肤品来日涂夜涂。结果是，毫无动静，全不见效，十分烦恼，怎么办？

我提议用盐来对付那黄而暗的肤色，好让皮肤用天然的方法来达到美白的效果。

材料： 粗盐、洗米水（不要用糯米）、珍珠粉、茶花籽油。

用法： 每天早上洗面之后，再用和暖粗盐水在面部轻轻打圈磨擦两分钟，然后用洗米水洗面。最后用三分一茶匙的珍珠粉加入两滴茶花籽油混和，抹到面上。两个星期后，你就会看见自己有一张又白又滑的俏脸。

这个方法如果在晚上临睡前进行，相信会更为方便。至于洗米水，可以通知家人在洗米时留着即可。

朋友曾经教我一个用盐来医治湿疹的方法，说这是他祖母教的，许多人用过都有效。我把此单方公开，好让大家参考。

材料： 粗盐、韭菜。

用法： 把韭菜磨烂连汁，然后放进一把粗盐混和，液
汁敷在患处。干后用温水洗净。每日做一次，
直至湿疹痊愈为止。

盐不但是一流的调味料，也是一流的护肤剂。如能适当
地使用，盐也是健康的保卫者。

除斑单方

我试用过一种去斑的方法，材料很简单，就是用一至两只熟到起梅花点的香蕉。

也许你知道，香蕉皮内白色的部分，有些<u>一丝丝像纤维</u>的东西，一条条长长的，是不是？

我们就是要借这些<u>一丝丝</u>的条子来去斑。

方法是把这些纤维长条子从香蕉皮上撕下来，收集两只香蕉的分量，然后揉合，用手指把它们揉至融和一起，待用。

晚上洗面后，抹了化妆水，随即把这些香蕉皮纤维融和物敷在有斑的地方，半小时后洗掉。

晚晚做，听说几个星期后即见功效。这是一位来自美国的朋友教我的。

她说，她的母亲就是用这个方法来去掉面上的褐斑。而这个单方也适用于老人斑，用同样的方法来对付，一样是

"药"到"病"除。

如果你也有各种"斑"的烦恼，不妨试用一下这个方法。

这些天然方法胜在安全，就算治不了皮肤病，也不会损害皮肤，损害健康。

那天当我向几个朋友推介这个好办法时，她们都向我问同一个问题："那些香蕉肉怎么办？"我答说，把它吃掉不就解决了吗？况且每天吃香蕉有益健康。一举两得，何乐而不为？

我知道有些人是天生不爱吃香蕉的，不过为了皮光肉滑，也不得不迁就一下了。

敏感皮肤

名歌唱家姚莉女士今年七十多岁，面上肌肤光滑如年轻女性，眼尾没有皱纹，只是不再年轻的眼神透露了她的年纪而已。我当日好奇地向姚女士请教免除眼尾皱纹的方法，她答说，她从来不曾用过什么眼部护肤品，而且在她年轻的年代也没有这些护眼用品出现，她当时跟其他明星歌星一样，早晚洗面后在眼尾抹一点凡士林，一抹就抹了几十年。

不过，也曾有读者对我说，她同样用凡士林抹眼尾，却出现敏感红肿。这是因为每一个人的体质不同，是以皮肤对某些香味或者药品出现敏感反应是正常现象，避免的方法当然是不再使用。

我有些女性朋友是极度的皮肤敏感型，丁点化妆品或护肤品也不能抹在面上，一抹就出现红肿现象。她们问我在此情况下如何可以护肤。我于是向她们推荐试用纯正的茶花籽油来解决问题。就是早晚在每边面颊抹一滴茶花籽油，然后用手指自内向外打圈按摩（不能施压）两分钟，如果皮肤敏感的话，半分钟已经足够。

然后再在眼尾及四周点一丁点茶花籽油，用手指以弹琴方式按摩二十下。这个方法希望对大家有帮助，我自己也正在实行这个方法，觉得效果不俗，我想你也可试试。

去肤出油

女友今年三十岁，不抽烟不喝酒，戒吃虾蟹、牛肉、炸物等等，理应拥有上好与滑净的皮肤。可是事与愿违，她说："我的皮肤很麻烦，有油（额、鼻尤甚，两颊稍好）。出油的情况是，早上七时涂上润肤品后，约在十一时左右，便能吸出一张满是油的吸油纸。"

这种情况很正常，一般人的 T 字位（额、鼻）都特别多油。解决的方法是，早晚洗面后，除了化妆水和美容液，不要抹任何 cream，让皮脂腺渗出的皮脂为你润肤就足够了。此外，多用吸油纸来清洁也是办法之一。

至于脱皮（额及鼻），试用砂糖加橄榄油来做面部磨砂，轻轻做两分钟，一星期至少一次。上述物品都有滋润作用，砂糖可以修护干燥的皮肤。磨砂后，用蛋白加入蜜糖，搅匀，然后用来做面膜。

敏感（容易发红及起粒粒、酒米、粉刺），则可以每晚用几滴茶油（茶花油）在面上按摩两分钟（不必清洗）。

糖与美容

糖除了可以做面部磨砂美容外，还有其他方面的美容用途。

（1）防治痤疮——

a、苦瓜一个，洗净后去核榨汁，再加入适量的冰糖调味当饮品饮用。

b、把榨汁后的苦瓜渣，加入一汤匙预先磨成粉末的麦片，调成糊状。然后把这些糊状物涂敷在患处，20分钟后洗净。每日一次，数日后痤疮即能痊愈。

（2）去除眼角细纹——一茶匙白糖、一茶匙鲜奶、一茶匙蜜糖，搅匀，调成糊状。然后在眼角出现皱纹的地方涂抹，30钟后用清水洗净，再抹上一滴纯茶花籽油，轻轻按摩一分钟，每晚一次。

（3）治鬼剃头（斑秃）——何首乌、生地、当归各五十克，放入茶杯中加适量的红糖（又称士红糖，根据颜色可分为黄褐、赤红、红褐、青褐等，但以颜色浅者品质最好），用大滚水(煮得大开的水)加盖浸泡，代茶饮用。直至斑秃部位有新发长出。

（4）清除牙齿污渍——许多女士由于长期吸烟的缘故，令一排本来洁白的牙齿变得又黑又黄，一开口说话时就吓死人。清洁的方法是，口含红糖水 15 分钟，然后用较硬的牙刷刷牙三分钟后漱口，再用预先调配好的盐碱水（五百毫升水加精盐 50 克、食用碱粉 50 克），刷牙两分钟。每日早、晚各做一次。连续做一个星期，牙齿会变得干净洁白。

（5）消除雀斑——鲜柠檬汁 30 克，加入硼砂粉（可到杂货店买）15 及砂糖 15 克，全部调匀，然后倒入瓶中储存。每晚临睡前在雀斑处涂上这种混合液（不必洗掉），连续用两个星期。

冬季防爆拆

天寒地冻时节里，常会遇到的一种皮肤病是什么呢？对了，这就是"爆拆"。情况是，手指或脚底因为干燥而出现裂口，出血而且疼痛，令人十分不舒服。

引起爆拆的原因很多，主要可分三点：

（1）气候的影响。例如冬季天气寒冷、干燥，手脚的汗液和皮脂分泌自然减少，皮肤于是变得干燥，因而破裂；

（2）因为皮肤病的关系。患有角化型的手癣、足癣、慢性湿疹、鱼鳞病、更年期角化及红斑角化症等等，也会引致皮肤破裂；

（3）职业关系。例如工人的手经常接触机油、接触水泥、石灰、碱性溶液等，也会令皮肤爆拆。

治疗的方法，要根据不同的起因而施行。

（1）寒冷季节引起的，就该经常服用适量的维生素A，洗手、洗脚后搽护肤膏。

（2）不要用碱性强的肥皂洗手脚；

（3）经常接触石灰水泥的，劳动后，应用温水洗净，然后涂上具有保护性的油脂。

面上的白斑

你有没有见过有些人面上、颈上、手上，都是一片片白色的皮肤？我们小时候叫这些白色的现象作"白蚀"，还传说"白蚀"去到眼睛部位时人就会死。所以，小时候见到人家面上的白斑，就会有点心惊胆颤。

近日长辈告知，这种白斑名叫"白癜风"，多发于面部、颈部及全身，毛发亦会呈白色，幸好不痛不痒。不过，如果患者是女士则会觉得有碍仪容，心里一定满不是味儿。

我问前辈可有民间的治疗单方，他说有好几条单方，其中之一是生姜搽法。

材料： 生姜一块。

用法： 从生姜上切下一片，用切面在患处轻按搽擦，直至姜汁给擦干时，再切一片生姜继续搽擦，连续擦至此处皮肤发热为止。一天三至四次，连做二至三个月，不能中断，一直擦到肤色正常。

整个疗程中，最怕就是患者缺乏恒心，半途而废。要靓，就不能怕麻烦，何况这个生姜治疗法又十分简单，很值得一试。

皮肤变黑

"本人三十三岁，未婚，但于数年前开始，面部肤色开始不均，像有些黑气蒙面般。而近两年开始，青斑全集中于两面旁边（即近耳下），很小而密，常给人取笑'老了'。本人一向生活有规律，不抽烟不喝酒。我已试过很多品牌的护肤品，但都没用。最近去看医生，他提议我做激光，但我不想，只接受了约两个月的果酸涂面（是医生处方的），仍是没用。"李小姐问。

皮肤专家告知，正常皮肤的颜色是由皮肤黑色素（如黑素、类黑素、胡萝卜）的含量来决定的。但如果色素在代谢过程中发生障碍的话，就会产生"皮肤黑变症"。此现象可发生在任何年龄，不分性别，但以三十至五十岁的女士较多。

至于病发时的现象和过程：发生时，面部皮肤先发红，有痕痒感觉，然后出现弥漫性色素沉着斑，颜色是淡褐色或者是紫褐色的，一般出现在额、颊、耳后及颈部两侧。也会蔓延到前臂、手背、手指等位置。但蔓延至一定程度就会停止，颜色逐渐变淡但不容易完全消退，目前仍未有特效疗法。

患有这种斑的人士，应该注意饮食，例如尽量少吃肉类，多吃蔬菜及豆类食物。保持大便畅顺，天天清理"垃圾"。此外，早晚洗面及用过化妆水（爽肤水一类）后，再用纯正茶花籽油按摩整个面部三分钟。

茶油含油酸中性脂肪 80% 至 83% ，而人体皮肤含油酸中性脂肪 60% ，和人体内分泌脂肪是同一样的物质，容易被人体吸收，而且不容易氧化和变质，又称为不干性油，具有高度的保湿能力（较橄榄油更能保湿），所以对皮肤有莫大裨益，既可润肤又可去斑。

自助牛奶浴

有朋友说，我的美容护肤锦囊中，似乎甚少提及洗澡这一环。

我倒没有留意这个问题，不过，经此一指，马上有一言惊醒的感觉。翻查一下过往的记录，关于洗澡护肤这一点真是没太在意。那么，为了弥补"过失"，今日就教你一个牛奶洗澡法。

这个方法既简单、省钱，又可以令你身体的皮肤变得白净而且滑不溜手。

材料：不含糖奶粉、盐、温水。

制法：一水杯奶粉，加入一汤匙粗盐，再加入自己喜欢的洗澡用香精。用适量的温水把它们搅成糊状，然后倒入盛有热水的洗澡盆中，搅匀。这时把自己整个身体泡在牛奶热水中浸泡。二十分钟后，用软毛巾或其他洗身用品洗刷身体。

用牛奶洗浴，可使表皮上老化的细胞脱落，促进新陈代谢，促使新细胞的生长，达到皮肤健美的目的。

鲜苦瓜美容法

苦瓜有去热杀菌、降血压，以及美肤明目的功效，常吃鲜苦瓜（即未经烹调的），可以达到身体好、皮肤靓的效果，但必须长期食用，最理想是每天吃，连续吃六个月作为一个疗程。这样你一定看到皮肤比六个月前的确改善了不少，皮光肉滑了很多。

老人家最爱想当年。话说从前在农村生活的人，因为物质贫乏，遇上有病痛生疮，都是自己想办法解决，所谓"穷则变，变则通"。

那时候的小孩子最容易生得一头疮，粒粒像波子一般大小，会含脓流水，又痛又痒，令孩子晚晚睡得不好。于是老人家就用苦瓜来对付这些俗称"火钉疮"的疮。

方法是把苦瓜剖开去瓤，然后切片，再把苦瓜片捣烂。接着就把这些苦瓜茸连汁液一起敷在大疮上。待苦瓜干了，就把它洗掉，然后再敷上新的。

据说用苦瓜茸"医"过的人都叫好，而且不留疤痕。就因为这个原理，有人就想到利用苦瓜来美容这一点。用法跟医火钉疮一样，敷在面上二十分钟后，用温水把面洗净。你会感到一股舒爽清新的气息，皮肤既干净又滑溜。

市面上有两种苦瓜，一种是我们认识的传统的，名"大丁苦瓜"；另一种较长的，表面较平滑的。而我最爱的，当然是像个花塔饼那种，最传统的。

应付小皱纹

许多女士都会特别留意及介意小皱纹，例如眼肚位置、眼尾、嘴角等等，总想知道有什么办法可以防止或者消除这些小皱纹。

最重要的关键仍是保湿。皱纹一般都是由于皮肤干燥所引致，所以又称为干纹。洗面肥皂或卸妆乳液，如果洗得不干净，让它们残留在皮肤上，这些物质含有的化学剂就会阻塞毛孔，伤害肌肤，令皮肤变干或者角质层受到破坏，皱纹就出现了。但洗面时如果洗得太过度，也会伤害皮肤，造成无可弥补的损害。

所以洗面时固然要小心，看看有没有过度洗刷。而洗面后亦要检查有没有把肥皂和卸妆乳液洗干净。

洗面后使用化妆水按拍面部四周，就可以把残留的洗面用品再清洗一次，在浸有化妆水的棉花上滴两滴鲜柠檬汁，则可以杀掉化妆水中所含的化学剂，不让这些化学剂有机会伤害皮肤，小皱纹自然得到了舒缓。

此外，就是在这些易生皱纹及细嫩的部位抹上纯正茶花籽油。

茶花籽油不但含有丰富的养分，容易被皮肤吸收，而且是很优良的保湿剂。

若将茶花籽油搽在有黑头的地方，它会令皮肤组织软化，毛孔张开，让黑头一挤而出。

另一点要注意的是，洗发时，不要让洗发精或护发液沾到面部肌肤，因为这些液体都会令皮肤出现皱纹。

预防小皱纹

常常收到询问：如何消除眼角小皱纹，或者如何预防小皱纹出现的来信。事实上，这是我及所有女士都十分紧张的问题，也是我们女士的烦恼。

依专家的解释，这些在眉梢眼角、嘴角出现的小皱纹，是因为皮肤角质层的水份不足所致。由于没有或缺少水份的滋润，使得表皮出现了皱褶，接着就是松弛的状态。因此，只要适当地让皮肤有足够的水份，问题就能迎刃而解。

千万别让皮肤受到太阳的直射，因为阳光里的紫外线，会使得真皮的胶原蛋白和弹力蛋白遭到破坏，因而生出皱纹。

我常常强调护肤的基础在于保湿，就是要预防小皱纹的产生。

大量抽烟、饮酒、食大量的辛辣食品，都是造成皮肤干燥的原因。

芦荟泥护肤法

有一晚忽然胃痛，使得整个人坐立不安。灵光一闪，想起芦荟可以治胃痛，于是马上从盆栽割下约三寸长的中等尺码芦荟一条。依法把叶子两侧的刺钩用刀削去，然后用清水洗净，整条放入滚水内煮两分钟，把附着的杂菌杀死。取出煮过的芦荟，让它凉一会，就把它放入口中细嚼吞食。不消二十分钟，胃痛就消失了。

由于芦荟是植物性泻药，所以食用芦荟之后很快就要上厕所，这是正常现象。也因为这个缘故，有便秘烦恼的朋友不妨日日吃芦荟以解决此苦。我讲过许多次，便秘是美容的大敌。因此，要皮肤永恒在最佳状态，每日肠胃畅通，是其中一个最关键性的条件。

我不是芦荟迷，不过一旦遇上有马上需要解决的皮肤或肠胃问题，便首先想到芦荟，找它来救命。

如果你不嫌麻烦，亦不妨试试这个防斑去皱的方法，这是我一个朋友的每日护肤功课，就是说日日做。她说她用这个方法来护肤超过十年。快五十岁人，坐了二十年冷气房，皮肤依然光滑柔顺。

我这个朋友的方法是：每晚从盆栽上剪约六寸长的芦荟，洗净，然后放在盛皿内把整条芦荟春烂成泥。把面洗净，用其中一半的芦荟泥敷到面上（连眼部），待芦荟汁液干掉，用温水洗面，再做其他日常的爽肤等程序即可。而另一半芦荟泥则留待翌日早上依法敷面。如此这般早晚各一次，持之以恒，奇迹自然会出现。

芦荟去斑去皱纹

　　跟一位护肤专家交换护肤心得，在谈话间，他多次强调芦荟的护肤功能。我忽然想起了有许多读者都曾问我如何可以防止及消除老人斑，于是乘机向这位专家请教。

　　他说不是每一个人年纪老了都会出现老人斑，有些人到了九十岁也没有一粒老人斑的，相反，有些人不过四十岁左右就出了一手背的老人斑。这个情况，当然与体质有关。但这位专家说，这些老人斑或面上的黑斑都可以用芦荟来医治。

　　方法是，把鲜芦荟的绿色外衣撕掉，把里面透明的啫喱状物体搅碎，然后抹在黑斑上，按摩约五分钟，让芦荟留在皮肤上三十分钟后清洗。事实上，芦荟汁液很容易被皮肤吸收，所以，早一点洗掉残留的芦荟汁液也没有关系，为确保效果，我会让它多待在肌肤上一会。

　　不过，一定要长期使用，专家说，有人用一个

月就见成效。有人用六个月有人则要用上一年。所以，一定
要有恒心。而且不能今天记得就用，忘记了就不用，或者太
累、或心情不好又停用一次，这样是徒劳无功的，做十年也
不会有成果。这个功课，最好就是每日早晚做两次。抹在面
上的鲜芦荟汁液还可以去皱纹呢！

因此，我提议大家最好在家要种一盆芦荟，叶上有白点
的那一种。到花市选购一盆回家栽培，既便宜又易种，一盆
大概十块钱左右。种大约两个月就会长出新头，这时候又可
分盆移植，一盆变两盆、三盆、四盆。

颈部的皮袋

"本人颈部生了很多酒米粒(粉刺)，大粒的头已脱出，但留下一个大约二分的皮袋在颈部挂着，很不好看。"读者仁仁来信说。

关于酒米，仁仁的写法似乎有点夸张。我不清楚仁仁颈部的酒米有多大，为何米脱出后会形成一个挂在颈上的袋呢？

要把"皮袋"拉紧、收回，还是有办法的。每日早晚两次，在颈部抹上颈部用的紧肤霜（许多大护肤品牌都有出品），或纯正茶花籽油，然后用两手的指背，交替地从颈下到下巴位置，往上擦二十下。

接着的步骤是：左手的拇指按在颈部左边，其余四指按在颈部右边，这时，用拇指在颈左边向逆时针方向打圈二十下。接着用右手为右边做同一动作。

天天如是，直至"皮袋"消失为止。这个方法又可以消除双下巴，消除颈纹，收紧两边松垂的面肌，一举数得，而且十分有效。

消灭头皮屑 12 式

清除头皮屑的方法很多，也很简单。

(1) 用醋洗头。方法是将 500ml，即一支普通装豉油大小的陈醋，倒入一盆温水中，搅匀，用来洗头。边洗边按摩头皮，并把头顶浸入水中约一分钟，不要用洗发剂，一星期至少两次，之后用清水洗净，用毛巾印干。翌日才用洗发液洗头。

这个方法可以防止脱发及头皮屑，且能减少头发开叉。

(2) 洗完头、吹干头发后在头顶滴几滴鲜柠檬汁，然后用手按摩头皮十分钟。这个方法不仅使头皮屑消失，据纽约一位读者来信说，她是用这个方法令白发转黑的。

(3) 每晚临睡用刷子从颈后向前刷发二十次，让血液循环加快，以营养头发。

(4) 每晚梳刷头发用少许维生素 E 油抹在头顶，然后按摩两分钟。

(5) 平日少吃刺激及煎炒食品，多吃清热去毒的食物，如苦瓜。

(6) 多吃紫菜一类的海藻类食品。

(7) 多饮芦荟汁。

(8) 用芦荟的汁液来按摩头皮。

（9）每天洗发，保持头发洁净。

（10）睡觉用的枕头要保持清洁，尽可能每天更换枕头套。

（11）梳头用的刷子和齿梳必须保持清洁，每天洗发时顺便清洗。

（12）不要用人家的梳，也不要借梳给别人梳头。

桑椹水生黑发

在读者会上有位读者问，如何可以令白发变回黑发？

有人答道，白发不是智慧的象征吗，为什么要变黑。

这当然是说笑。女人始终是女人，有哪个女人是不爱美、不怕老的？可是要我马上答复有什么方法可以白发变黑，真是考倒我了。

不过，我记得我曾经教过大家一个白发变黑的方法，就是洗发前半小时，用鲜柠檬汁刷头发一遍，再按摩约五分钟。三十分钟后用热水把头发冲透，然后用洗发精洗发。

这个方法不仅令白发变黑，还可以防止脱发，消灭头皮屑以及止头痒。

此外，我也找到一个祖传秘方，让你试试。

就是桑椹水生黑发。

材料及制法：从桑树上采摘一大杯桑椹，略洗净，然后浸入水中（两大杯），放在太阳下晒，待水变黑时，即用桑椹水涂抹在头皮上，按摩。一星期两次，慢慢长出的不再是白发，而是黑发。

　　我幼时也爱摘取桑树上的桑椹来吃，那些熟到黑色的，特别鲜甜。

　　我们那时候只晓得称桑树上的果子做桑子，到了中学时才知道它有这样一个好听的学名——桑椹。

美颜乌发何首乌鸡蛋汤

在一次读者会上，有一位与会者提供了一个护发单方，那是何首乌鸡蛋汤。

材料： 何首乌一两、黑豆（乌豆）适量、鸡蛋两只。

制法： 黑豆先用清水浸一个小时（任何乌豆类在煲之前都必须用清水浸一个小时），鸡蛋连壳，与乌豆一起像平时煮汤一样，凉水共煮。

滚十分钟左右，待鸡蛋熟透，取去蛋壳再同煮至乌豆熟，然后加少许冰糖调味，再稍煮片刻即能饮用。

如要收到白发转黑、不再脱发的效果，应该每星期饮一至两次，连续饮用两个月。

那位读者朋友说：保证有令你惊奇的效果。

其实，这是一个传统的美容长寿食疗方。据说可以医治很多疾病，包括未老先衰、血虚体弱、遗精带多、头晕便秘、白发及脱发等等，效用十分神奇。

不过，由于首乌含有大黄酚成分，食后会出现轻泻现象。

茶仔水洗发

我终于找到失传已久的茶仔头。

告诉你一个秘密，原来用以榨油后的茶花籽，变成了茶花籽渣，堆积起来一大块，就是茶仔头（饼）。由此可见，茶花籽真是美容护肤珍品。

我找到的茶仔头是在香港买到的，是干巴巴的一饼饼。

我把半只手掌大小分量的茶仔头，放在新闻纸上，用小铁槌敲碎。然后放入煲内，用半煲水把茶仔碎煮开约四分钟。熄火，让它在煲内大约焗五分钟。

接着把茶仔水倒入一个面盆内（切记把茶仔渣隔去），加点自来水，用一方小毛巾开始洗发。

洗的时候，别忘记用双手擦头发，按摩头皮，就像平日洗发一样，再把整个头浸入茶仔水内泡一下，用手拧干水份。然后用水龙头的温水冲洗头发，把茶仔水的颜色冲走，用毛巾吸干水份。

我惯用风筒和梳刷把头发弄干及梳理整齐。这时候我发现我的头发像用了洗发精一样清洁，另加了一份清爽感，而且顺溜有光泽。

隔了出来的茶仔头渣，我翌日再翻煲一次来洗头，效果仍然一流。整个程序，从预备到洗完头，不超过半小时。

黑芝麻的魅力

一位女士说常吃黑芝麻可以令白发转黑。这位女士在来信中说："我每天早晨都以黑芝麻粉及核桃粉冲牛奶饮。若有少量白发者可以使发色变回黑色。我因白发太多，用之已晚，只能染之。但饮用了两年，染过之发已有光泽，不似以前之枯燥，也是一个惊喜。总之一些天然物品较化学品要好得多。"

芝麻，老实说是一种值得歌颂的天然食品之一，它不但能治便秘而且常吃可以防止黑发变白，又能令斑白的头发变黑，兼且有润发的功效呢！古时以至三、四十年前，没有什么润发剂，女人为了让一头长发保持几十年的乌溜溜、柔润润，唯一的方法是天天吃一碗芝麻糊。

根据专家的意见，黑芝麻含脂肪高达 60%，其中不饱和脂肪酸占 85%～90%，而油酸和亚油酸各占一半，极易被人体分解、吸收和利用，以促进胆固醇代谢，有助消除血管壁上的沉积物。是以黑芝麻有"动脉清道夫"的美誉。

所以，好吃煎炸肥腻食品的朋友，为了保健，应该日常多吃黑芝麻食品。如果有支气管哮喘的老人家，黑芝麻是一服良药。

材料及制法： 黑芝麻 250 克，炒熟（用白镬），鲜生
姜 125 克，洗净后榨姜汁。另，冰糖、
蜂蜜各 125 克，溶和混合。接着将芝麻
与姜汁混合，再炒一下，冷却后与蜜糖
及冰糖混合，放入瓶中储存，每日早晚
各饮一汤匙。

生发古方

这个护发方法很简单,但须要你亲自动手把单方依法调制。
看看你能否做到。

材料: 侧柏叶（如手掌大的,两片）、榧子肉三个、
胡桃肉两个、香油适量。

制法: 把上述的药物切碎,然后放入香油（芝麻油）
内浸七天。

用法: 用手指把油抹在头皮上,或者用梳蘸油来梳头。

功用: 养护毛发,并有生发的功效。

据前辈说此药方是朝鲜古方。里面提及的侧柏叶,原来
是古人时常使用的生发药物。侧柏叶含有挥发油,油中主要
成分为侧柏烯、侧柏酮、小茴香酮、蒎烯、石竹烯等,是改
善血液循环和营养毛发的要素。

此外,侧柏叶有抗菌作用。榧子含有丰富的脂肪油和挥
发油等,不仅有润泽毛发的功能,还可促进毛发生长。

至于胡桃肉（剥壳后留下的果肉）,不仅含有丰富的脂
肪,还含有钙、磷、铁、锌、锰、铬等多种矿物质及胡萝卜
素、核黄素、维生素 E,都是滋润毛发的要素。

担心中年秃头

"我每天梳头或洗头都发现有头发掉下来，担心人到中年会秃头，有何洗发护发的方法可以避免脱发呢？"有读者问我。

首先请你明白，每天掉五十至一百条头发是正常现象。问题在于如何令头发迅速及正常地生长，以补救脱落了的。用任何牌子的洗发水都没有关系，关键在于护发。

如果你对市面的洗发精没有信心，我建议你用鲜鸡蛋来洗发。一只鸡蛋，搅烂，然后倒在略湿的头发上，依平日方法洗濯按摩。用温水冲洗，切不要用热水，不然头发上的蛋水会给煮熟。冲洗干净后，用少许新鲜柠檬汁，抹在头皮及头发上。一来护发，二来去除蛋的腥味。

一个星期用一至二次白醋加清水洗发，可以杀菌及令头发变柔软。如果用一般洗发精洗发的话，洗发前先用几滴鲜柠檬汁按摩头皮两分钟。

临睡前，用梳自颈后向头顶梳刷头发二十下。

早生白发的原因之一

忘记了是听谁说的，一个人如果长期不吃盐，后果是全身乏力，无精打彩，最吓人的是头发变白。我知道盐对人体很重要，但不知道人体缺盐后果会这么严重。

原来盐的主要成分是氯化钠，我们吃盐主要是为了吸取其中的钠。

钠是人体必需的物质，缺乏钠会有血压低、头昏眼花、食欲不振、作呕作闷等等症状。

不过，如果人体吸入过量的盐，又会出现负面的影响，例如高血压、血管硬化、胃癌、肾病等等。

同时，吃盐过多，使钠在体内不断积存，由于钠有亲水性，所以水肿即是由此而来。

有读者来信说，他时常有面部浮肿的现象，皮肤不够紧致，问我怎么办。

第一件事要反省的，看看是不是少吃住家饭，天天在外面吃多盐多味精的饭菜。如果答案是对的话，那么就得节制一下。至少周末在家的日子，做点节食工夫，就是滴盐不沾，这样面部的水肿才可得到改善。

有些女士在月经即将来临前会有头痛、肿胀、情绪不好的情况出现，据说这是体内积存太多盐分的缘故。所以，为了避免生理周期前的坏情绪、坏心情，给人不良的印象，最好是月经来潮前十天，减吃盐分。

总之，每一种食品、调味料，对人体都有好处和坏处，吃得太多或吃得太少都不会有好结果，能够取其平衡，不偏不倚，当然就万无一失了。

护发新发现

我发现了一个很好的护发方法，就是洗发后，用热风筒吹发前，在头发上洒一点米醋。你可以用喷水壶喷，这样比较均匀，着重喷发尾和发顶。然后用手指按摩头皮一分钟，才开始吹发。

吹干后的头发又爽又柔又带光泽，而且减少脱发，还可以把头上的气味赶走呢！

如果你不要吹头，那么可以在发上喷一些米醋，让头发自然干，亦一样有奇妙的效果。

个中原因是，醋含有醋酸、甘油、氨基酸、醛类化合物，可以令人体的皮肤变得柔和细滑。此外，还可以促进血管的扩张，供应丰富的营养，使皮肤上的一些细菌死亡。

我使用的只是在超级市场可以买到的食用米醋，又简单又便宜又方便，用来美容之余还可以煮菜。所以我说厨房里的油盐酱醋糖全都是护肤之宝，只要晓得如何使用，就可以免却不必要的护肤品开支。

II 古法美容

传统方法
消灭暗疮
疑难杂症

猪脚浆去皱纹

在朋友的协助下，找到几条美容护肤的祖传单方。表面看是古怪一点，有些草药名称根本是未曾听过的，但听说很有效，而这些古怪药材都可以在中药店买到，所以我就把这些古方在这里公诸同好，希望为你解决一些皮肤及美容上的问题。

首先要介绍的是防皱护肤品。这一类护肤品的主要作用，是在皮肤表面形成一层药膜，防止皮肤水份的流失，使皮肤时刻获得润泽。此外，这类护肤品多数有滋润与营养的作用，从而增加或恢复皮肤细胞的生命活力，让因干燥而形成皱纹的皮肤得以拉平。

第一款是猪脚浆。

材料： 猪脚或猪手一只。

制法： 把猪脚洗净，加入 1500 毫升水，用中火煮成胶液状。

用法： 临睡前，在面上抹一点猪脚胶汁，翌晨洗去。

功效： 防止皱纹，并可使皮肤变得更细滑。此方法也可以用来护手。

这个古方听说出自唐朝。把猪脚煮成浆，当中成分主要是胶原及胶原的水解产物，还有很多游离氨基酸。

猪脚是一种水溶性高分子化合物，不单有很强的黏性，还很容易胶化成膜，用来涂手和面，可令皮肤表面形成一层胶性膜。这种膜干后可将有皱纹的皮肤绷紧拉平，而且有保温、保湿及保护皮肤的功用。

古方保湿护肤膏

在我找到的古方中，有一款是"圣惠手膏"，因为出自宋代王怀隐等编著的《太平圣惠方》，故得名。

材料： 栝楼瓤 60 克、杏仁 30 克。

制法： 将杏仁浸至去皮，与栝楼瓤一起磨研至变成膏状，再用蜜糖把它调和黏合起来。

用法： 每晚临睡前在面上涂一点，亦可用来抹在手背上。

功效： 可以令面和手滋润有光泽，冬天不会皲裂。

栝楼瓤是中国传统护肤品中重要的原料，由于有较强的黏性和成膜性，涂在面上可令皮肤表面形成一层胶性药膜，对皮肤产生保湿保温和防皱的作用。此外，因为杏仁本身含有丰富的脂肪油，所以有滋润皮肤的功效。而蜜糖呢，不单有很强的黏性和成膜性，兼且含有丰富的营养物质，是一种重要的皮肤滋养剂。

宋朝的爱美女士，就经常在家里研制这种润肤膏来护肤，既卫生天然，不含任何化学物质，而且便宜又增加生活情趣。

　　所以，如果你真的爱惜自己的皮肤，就应该亲手调制一些绝对安全的护肤品。

却老防皱单方

以下为你介绍一个却老防皱的方法。

材料： 黄柏 30 克、土瓜根 90 克、大枣 7 颗（去核）。

制法： 把以上材料混在一起，舂烂研磨成膏状。

用法： 早晨用温水调化洗面，像用肥皂洗面一样。

黄柏是黄色的，是一味广谱抗菌药物，可防治某些皮肤病，亦可作颜料使用。土瓜根和大枣都有很高黏性，有保湿、保温、保护皮肤的功效，大枣有滋润皮肤的作用。

还有一个听说是出自明朝的古方，可以去皱及消除黑斑。

材料： 猪脚一副、白蜜 30 毫升、白芷、栝楼仁、白芍、白蔹、茯苓、藿香各 30 克、雪梨两个。

制法： 先把猪脚出水，去骨，把肉煮成浆，然后放入白蜜、白芷、栝楼仁、白芍、白蔹、茯苓、藿香、雪梨（切件去核），再继续煮至膏状，过滤去渣。

用法： 每晚临睡前用来抹面，翌晨用温水洗净。

　　把猪脚去骨煮成浆汁，主要含有胶原，且其水解产物具有很高黏性，可在皮肤表面形成一层韧性很强的胶性药膜，以防水份流失，并可黏着清除皮肤表面的污垢。而其形成的药膜，还可将皱纹熨平。

　　白蜜、雪梨、白芍、茯苓、白蔹均有黏性，与猪脚的黏性合在一起，可产生双剑合璧的功效。栝楼仁有滋润皮肤的功能。白芷、藿香，一方面是香料，另一方面又可促进血液循环，促进黑斑对药物的吸收。

去皱古方

我在本书中教你的护肤单方，你会不会依法炮制和使用呢？这些都是四处去查探得来的古方，我亦会选几个来试试。如果你已试过的话，不妨来信分享心得，互相帮助。以下是一个既可令肌肤滋润又可去皱的明朝古方，希望你用得着。

材料：白附子、杏仁、香附子、白檀香、紫檀香、马珂各等份，白蜜适量。

制法：先把以上各药材研成细末，然后加入白蜜，把它们黏合成膏状。

用法：每晚临睡前，用以涂面，翌晨用清水洗净。

功效：去皱纹，令面色光白细润。

白附子可以防治肝斑、黑印等皮肤病。杏仁可以滋润皮肤，防治酒渣。白檀香、紫檀香是名贵香料，且可改善局部血液循环营养状态。

马珂又名"马珂螺"、"马鹿贝"，在这里作为珠光颜料使用，且可遮掩面部缺陷。

白蜜不仅滋润皮肤，还有黏合成膜的性能。

令面色变得白净

曾有读者问可否介绍一些去黄气、令皮肤变得白净的简单方法。

在四出寻访下得一"白面方",有需要的读者不妨试试看。

材料： 牡蛎90克（先把它烧成粉）、土瓜根30克、白蜜适量。

制法： 先将牡蛎、土瓜根一起研磨成细粉末，然后用白蜜把它们调和一起。

用法： 每晚临睡前，用以涂面，早晨用温水洗去。

功效： 能使皮肤变得白皙。

单方中的牡蛎是瓷白色的，而且有光泽，具有良好的吸水、吸脂功能。用来涂面，可以使肌肤有光彩，还可以遮掩面部的缺陷。

土瓜根的主要作用是黏合剂。白蜜不单可以滋润皮肤，还有良好的黏合性及成膜性，与土瓜根混在一起涂面，有保温、保湿及保护皮肤的功能。

这个护肤、使皮肤变白的单方，制法简便，不妨试制及试用。

治疗黑斑

我教大家自制的防皱化妆品，主要是在皮肤表面形成一层药膜，以防止水份流失，使皮肤得到滋润。另一方面，这些护肤品所用材料都有营养皮肤的作用，从而增强或恢复皮肤细胞的生命活力。因为，美丽肌肤的主要因素是保湿，不让角质层的水份流失。

至于除去面上的瑕疵如黑斑，可以用以下这个单方。

材料： 白附子、密陀僧、牡蛎、茯苓、芎穷各60克。

制法： 把上述药物一起研磨成粉末，然后用牛奶把它们黏和一起成糊状。

用法： 每晚临睡前，把它抹在面上，用手指自内向外打圈按摩两分钟，翌晨用温水清洗。

功效： 治面黑印、去皱纹、防爆拆。

密陀僧和白附子都是治疗黑印的重要药物，前者还有美化面容作用。

芎穷能改善局部血液循环。茯苓是黏着剂，亦能增加本方的乳化和分散性能。

内外夹攻治暗疮

"本人已二十七岁，但仍不时受暗疮困扰，已看过医生，吃了一些消炎药，但只能维持一段短时间，很快便再生，请问有什么方法解决……？另外，有什么方法可把暗疮印减退？"一位署名大堕的读者来信问。

治疗暗疮这种皮肤大敌，必须要内外夹攻才可以收效。

（1）你要保持每日肠胃畅通，不能让垃圾囤积体内。

（2）多饮温开水。能每小时喝一杯就最理想。

（3）日间（白天）工作太疲倦时，就停下来休息五分钟，做一些弯腰踢腿及指尖像弹琴一样"笃"头的运动。

（4）设法让自己每晚有七至八小时的睡眠，尽量避免夜生活和饮酒。

（5）一定不可吃薯片一类的零食。汉堡包、炸鸡最好停吃。

（6）每星期守斋一次，只吃白粥、沙律一类的食品。

（7）下班后让自己身心获得舒展，例如看内容轻松的书籍、听柔和的音乐，晚饭后步行九十分钟等。

（8）让自己笑容多些，好让面部皮肤得到舒缓。

（9）用砂糖加茶油或橄榄油做面部磨砂两分钟，要轻磨，不能出力。起初的两个星期每星期做三次，之后每星期

做一至二次。

（10）磨砂后，记住马上做一个蛋黄或蛋白面膜以收紧皮肤。

（11）每星期喝一次神仙草土茯苓煲瘦肉蜜枣。

（12）洗面后抹上爽肤水，不要涂 cream。

解毒灵方

治暗疮除了喝神仙草煲汤外，还可以多饮醋，例如苹果醋加蜜糖开水饮用。

此外，也可以用苦瓜搽面来治疗，方法是把半只苦瓜舂烂，然后抹在面上，半小时后用清水洗净，每日两次，再加适当汤水。

不过，有些人面部生的不是暗疮而是像疹一样的东西，令人满面通红，非常难受。这个时候，患者应该买一把马齿苋菜，洗净后把苋菜搅成汁，加入少许食醋，搅匀，然后涂抹在患处，像涂药膏一样，不用洗掉。

苦瓜有什么好处呢？苦瓜俗名"癞葡萄"，性质苦寒清热。除了可治疮癞之外，还可以医治痢疾。方法是，把一只苦瓜捣烂绞汁一杯，一饮而尽。

而马齿苋则有清热、解毒之功效。

另一道"鲮鱼鳃"的清热毒汤水，做法如下：

材料：鲮鱼鳃一块、瘦肉10两、生姜一片。

制法：先把鲮鱼鳃放入清水浸半小时，把附着的泥沙
　　　　去掉，并且把鳃浸软，然后把适量的水（约十

碗）煮滚，放入鲮鱼鳃、瘦肉和姜。中火煮，
一个半小时后饮用。味道鲜美，老少咸宜。

　　这是一道清热毒、养皮肤的汤水。有病去病，无病养颜，对于那些好烟好酒、且常常熬夜的人十分有帮助。

　　鲮鱼鳃在街市、海味店、干货店都可以买到。在夏天时最好能一星期饮一次，平日则一个月饮一次都可以，对于暗疮及扁桃腺发炎、牙肉肿痛都非常有效。

暗疮不能用手挤

以前，我总以为下巴有暗疮是由于内脏不健康的缘故。

以前，我以为额头长满暗疮是因为荷尔蒙不平衡所造成。

后来，皮肤专家告诉我，这些都是毫无根据的。不过，有一种情况倒是真的，就是暗疮的生长，会因为年龄的增长由上往下移，如果你留意你四周的人生长暗疮的情况，你一定会赞同我的看法。或者你可以回想你从前跟现在生暗疮的情形。

我听说，生在愈下方的暗疮愈难痊愈，例如下巴及嘴角四周的，甚至是生于颈部的。

皮肤医生说，一般人洗面都集中在T字部位，而忽略了下巴。而这个位置也是皮脂分泌旺盛的区域，所以必须谨慎冲洗。同时，下巴容易积存冲洗时残留的洗面剂，因此，不必我多讲，在洗面时，切记留意下巴这个部分，要充分洗净才好。

此外，医生提醒长有暗疮的朋友，不管暗疮生在什么位

置，不管痛也好痒也好，绝不能用手触摸。这个道理显浅不过，相信不用我解释了吧。

我收到的读者来信，百分之六十是询问如何治疗暗疮的。所以我以为有必要对大家说明一下暗疮的情况，至少基本的洗面须知是要作补充的。特别是不能用手指触摸暗疮这一条。

要暗疮早日痊愈，切记不要吃熟食档的零食，如鱿鱼之类，也要戒饮可乐汽水。

粗盐按摩除粉刺

曾经有朋友问："面上有一粒粒粉刺，怎么可以清除？"

那一刻，我记得曾经在北京访问名模瞿颖，其中也谈到有关护肤的问题。瞿颖说她面上常常长疱疱（青春豆），皆因她是湖南人，特别喜欢吃辣，餐餐无辣不欢，于是害苦了皮肤，疱疱就出个没完没了，怎么也医不好。

后来有另一位模特儿教她用粗盐来按摩面部，她照着做了几次，疱疱就给打发掉了。

盐，擦在烂肉上，当然很不好受，然而为了美容护肤，也顾不了这许多了。

用粗盐按摩法来对付酒米也很有效的，我自己当然已试过，就算没有酒米可杀，单用来护肤，也十分妥当。

材料：粗盐一把、橄榄油几滴，一齐搅匀。

用法：把混了橄榄油的盐分别抹在两边面颊上，然后轻轻在患处按摩两分钟。接着用洗面肥皂和温水把面洗干净。

不要抹上化妆水和美容液，而是用鲜榨稠浓金黄色的纯

正茶花籽油各在面颊抹一大滴，然后用手指轻轻把油抹匀，再按摩二十下。

　　一位好心读者从内地带给我一瓶纯正茶花籽油试用，把鼻子凑近瓶，即嗅到一阵很浓的茶花味，我这才开了眼界，知道什么是真正的茶花籽油。我现在当它是护肤之宝，洗完面，抹过化妆水和美容液后，就抹上一点，既便宜又惜肤。

赶走油脂粒

"我的面上近来长了很多好像是暗疮的东西，没有颜色，只有微微凸起，尝试去挤它，很难才挤出一粒浅黄色的东西，不知有什么方法可以把它们消灭？"读者李桂琼的来信说。

桂琼的皮肤问题，相信也是很多读者的苦恼。

首先我奉劝桂琼不要用手去挤这些油脂粒，因为这样会把手指甲里的细菌，随着因挤压而破损的皮肤深入毛囊，实行进一步的破坏，令原来受损的皮肤情况变得更坏。

要消灭这些讨厌的油脂粒，至少有四个方法可以用。

（1）随身携带吸面油纸，时不时用以印走面上的油光。

（2）一星期两次，用砂糖加橄榄油（一茶匙砂糖，半茶匙橄榄油），搅匀后抹在面上，然后用手指头轻轻在面和额上按摩，十分钟后用洗面肥皂把面洗净，接着用化妆水、美容液护肤，但不要抹上任何日霜或晚霜之类的东西。

（3）日间每小时饮暖开水一杯，以防止水分流失及让皮肤获得滋润。

（4）每晚洗面兼抹上化妆水（别忘记加入两滴鲜柠檬汁），然后抹上纯正的、用以护肤用的茶花籽油（每边面颊一滴），然后用手指轻轻按摩两分钟。

治暗疮药膏

身体的质素是先天的,这使人想到遗传学去。同是一个阿妈生,哥哥的皮肤好得不得了,没有暗疮的烦恼,弟弟的面上却爆暗疮爆到七彩。再查看这两兄弟的母亲在青春期的皮肤状况,发现她属于靓肤一族,不曾严重地受过暗疮的滋扰。

这个,真不知是什么道理。

我对有暗疮的青年朋友说过:"尽量不要用吸油纸抹油。"这不等于完全不用吸油纸抹面,一天使用一至两次已足够。洗面也是一样道理,一天两至三次即可,太多次数会令皮脂增加,一张面就更加油腻。

洗面后,不妨在有暗疮的地方抹上爽肤水,过十分钟,在面上抹上维生素 E 护肤膏,然后再搽暗疮膏。有读者使用过这方法后,大赞顶呱呱。

如果暗疮的爆发情况极严重的话,我认为最好向皮肤科医生求救。但有读者告诉我,本地的皮肤科医生来来去去只用两三种药膏,不是所有皮肤都合用。

长发姑娘

过了二十五岁仍然爆发暗疮，你绝对有责任检讨一下自己的生活了。因为过了二十五岁爆发的暗疮，专家说这不是荷尔蒙的影响，而是生活方式有待改善的警号。

暗疮形成的原因，简单的说是皮脂的分泌量增加，令毛囊壁变厚，于是令皮脂的出口变小而出现阻塞现象，因而使暗疮菌在此处寄居繁殖，令人长出一脸暗疮。

二十五岁后，令皮脂分泌量大增的成因包括：便秘、胃肠有障碍、生理不顺、精神压力等，例如饮酒、抽烟、熬夜等，都是容易引致胃肠障碍的原因。此外，偏食、爱吃甜都会造成便秘。还要补充一点的是，错误地使用护肤品和化妆品，令皮肤油份增加，也是促进暗疮出现的原因。

一位皮肤专家提出的一个忠告，听来有趣，但亦不能掉以轻心。这是针对长发姑娘的。这位医生说不要让长发遮面，原因是发上的尘埃、污垢、洗发精残留的化学物质，如沾到面上的皮肤，久而久之都会造成伤害。

治暗疮汤水

读者 Mabel 说，她心口长了一颗暗疮，应该怎么办？

我建议她趁周末煲一道润肤清热毒的汤水，这是吾友麦洛新介绍的。他说对付几颗暗疮，通常一剂就可以。就算没有暗疮，平常饮用，对于皮肤来说，都是一道有益的汤水。

材料： 大生地、昆布海藻、瘦猪肉。至于分量，则必须按饮用人数来决定。

制法： 水滚后把所有材料放入，煮三小时。

我问要不要加入蜜枣、果皮或生姜这些东西。答曰：不必。

原来有一个较简单的煮法，就是单用大生地煲瘦猪肉即可。而上述所有材料除猪肉外，均可以在药材铺或山草药店买到。

讲到山草药店，我认为大家去这些店买山草药，例如神仙草、白花蛇舌草等，最好去那些有固定地址的，因为有什么问题，如买错药，可以有店可寻。

清暑养肤谈绿豆

朋友从外地公干回港，甫下飞机即来电叫救命，说爆了一脸暗疮："好惨呀，毁容啦，整个脸暗疮，如何是好？"

我纠正她说，二十五岁以后不会生暗疮，只会生与暗疮形态相近的痤疮。这是日常生活突然受到干扰、日夜颠倒、睡不好、水土不服和身心饱受压力的后遗症。

在这种情况下，我提议她煮一锅臭草绿豆沙加片糖，喝它三大碗，一星期内喝两次，包保一张粗脸会慢慢还原，细滑皮肤又再出现。

绿豆性寒凉，如果你属于脾胃虚寒又常闹肚泻，就不宜多吃，偶然吃一次是没有大碍的。听说以前的女人想堕胎，就煮一大锅海带绿豆沙当饭吃，不久就流产了。

然而绿豆的营养十分丰富，含有蛋白质、碳水化合物、脂肪、钙、磷、铁等矿物质和各种维生素。老人家最爱说："绿豆清热毒，去火疗疮，味道又好，应该时不时吃一次。"

蟾蜍赖尿

我的唇上起了个小水泡，影响所及，上唇就肿了起来。老人家说这叫做"蟾蜍赖尿"；西医说，这是泡疹一型，只要不用手触摸它，不用舌头舔它，保持卫生，它便会自动痊愈。

我就是手痒，一个不留神，就把水泡弄破了。未几结了痂，是迈向痊愈的征兆。可是洗面时却不慎把痂擦掉了，搞到又痛又流血。虽然现在再次结痂，但已经把痊愈期拖后了，而且唇上明显地有一点淤黑，很不雅观。

于是就拿这个作为一个个案，与读者们分享。

综合他们的意见：

（1）这是热毒，患者之前一定吃过性质热毒的食品，例如火锅；

（2）患者除了多喝水，应该饮一剂凉茶，就是白芍煲菊花。至于分量，可以请教中药店的医师或者资深店员。此茶可以净饮，也可以加片糖。

（3）一旦发现"蟾蜍赖尿"这种水泡时，马上在患处抹一点纯正蜜糖，一两日间会痊愈。

多谢两位读者朋友的帮忙，我唇上的"蟾蜍赖尿"已经消失。

酒糟鼻

酒糟鼻又称为"酒节鼻"，我们俗称之为红鼻子。以前一直以为这种皮肤病与饮酒有关，但现在发现，原来却是由蠕形蜗这种寄生虫引起。这种病除了令鼻子周围发红外，面部其他地方亦会出现红斑，症状是表面可以看到一丝丝扩张的毛细血管。

医治酒糟鼻可以买水君子回来，打烂取出果仁，清洗一下然后把它磨碎（不必煮），混入麻油内浸一日一夜，即可进食。

还有一个医治酒糟鼻的小秘方。

材料：白果三粒，去壳去衣，酒浮糟少许。

制法：把上述材料混在一起，然后捣拦成泥状。

用法：每夜睡前用白果酒浮糟泥，涂在鼻及红斑处，翌日早晨洗面时一起洗掉。用剩的白果酒浮糟泥，可以放入冰箱保鲜再用。如是者，晚晚涂"药"，直至痊愈为止。

千日疮

收过几百封询问有关扁平疣的读者来信，原本我从来未见过扁平疣，要不是读者的来信，我就连听都未听过。为了把这个皮肤病弄个明白，以免有此症的读者花"冤枉钱"，我特别为此访问了一位皮肤专科医生。

原来中医称扁平疣为"扁瘊"，又名"千日疮"，是带传染性的一种病毒性皮肤病。中年以后绝少有这种病，因为最常发生于年轻人的面上，所以又称为"青年扁平疣"。这种疣不但出现在额上和两颊，也会出现在手背、手指和手腕。这种疣出现之前并无任何征兆，说来就来。

医生说，扁平疣的形状是在皮肤上隆起的小丘疹，像小米粒一般大小；颜色则是浅啡色，或者是正常皮肤色。表面光滑，用手触摸有硬的感觉。而这些扁平的小丘疹，在皮肤上是几个到几百个的分布，或者密集在皮肤表面，有很轻微的痕痒。医生说扁平疣有时会忽然自行消失，但也会数年不散。不过，痊愈后绝不会有疤痕。

读者 Molly 来信提供了一道单方，我现把部分内容公开，希望对有需要的读者朋友们有帮助。

"十多年前，我亦曾受它（扁平疣）困扰达五、六年。后偶获偏方一道，只花一星期食疗便告治愈，至今未再复发。

生熟薏米一两，用水浸透后煮熟，每日两餐当饭吃，连吃七日，不可中断（切记）。经三、四天疗程后，面上疣粒开始变红及萎缩，七天疗程后，面上回复光洁无瑕。此方对付手脚上之'饭蕊'亦有功效，且经济实惠。"

所以，各位有此症之朋友，不如先试试这个单方，真有需要的话再找皮肤科医生未迟。

治扁平疣的中药

如何有效地治疗扁平疣呢？这是我和大家都非常关心的问题。

医生说，保持清洁和卫生是首要条件：第一，不要到美容院做 facial，那里的器皿、仪器，以至美容师的手，都可能会把其他顾客的"菌"带到我们的皮肤上；第二，一旦发现患上此症，每一次洗面或抹面后的毛巾一定要用开水煮五至七分钟。

药用的治疗方法，如果相信西医的话，当然就得去看可靠的医生，或者可以自行服用中药来治疗。

原来中药也分服用和敷抹两种。

中药煎剂：

材料： 板蓝根 30 克、紫草 15 克、香附 12 克、木
贼 10 克、红花 6 克、薏苡仁 20~30 克、甘草5
克。

制法： 把上述材料慢火煲（煎）半小时成一碗药，饮
用（服用前最好请教专业中医师）。

翌日，再把上述材料翻煲，服用，把药渣留用。第三
日，把药渣再翻煲，然后把"药水"用以洗扁平疣。就是一
剂药煲三次，两次饮用，一次洗皮肤。如是者连做一星期至
十日。

脚板底的疣

有位读者告诉我，自五年前她的脚板底长了一粒疣，至今仍未痊愈。

在脚板底长出的疣一般称之为"跖疣"，西医则称之为"寻常疣"，中医叫它"枯筋箭"或者"木刺瘊"，也是由疣病毒引起。例如脚板底受伤擦损，或长期脚底受机械性刺激、摩擦，甚至足部多汗潮湿等，都会容易招来病毒感染而产生寻常疣，走路时会疼痛。

这种疣可发生于脚底各个部位，但以脚底两边受压的地方最常见。情形是皮肤角化增厚，小的像米粒，大的像黄豆，颜色灰褐、灰黄，表面粗糙，中心稍凹，有刺状物，周围有稍为隆起的角质环。如果用小刀将角质片的表层削去，会露出很多刺状物，容易出血。

如果只是一粒寻常疣，通常会采用局部麻醉，然后将角化的疣组织用手术刀从周围分离，再用手术钳夹起疣组织拔除，接着止血包扎。或自制搓疣散医治：

材料及制法： 血竭 10 克、鸦胆子仁 20 克、生石灰 100 克，混在一起磨成粉末，在疣处搓按。

烧艾治疣

一旦讲起寻常疣就说话多多，停不了。因为这种疣十分寻常，许多中年人都有此病，可能行路太多的缘故。几十年下来，脚底板日磨夜磨，疣就来了。不过，此疣跟鸡眼不同。上一篇文章披露了一个医治寻常疣的单方，这里再介绍一两个。

先介绍一个内服的。

材料及制法：桃仁、红花、熟地、当归、赤芍、川芎、白术、山甲、首乌、甘草、板蓝根、夏枯草各适量，像凉茶一样煲，每天饮一次，每次一剂。六至八剂为一疗程（请遵从专业中医嘱咐）。

接着介绍一个外治的，这个叫做艾灸疗法。

制法：在疣表面先放上一层木炭灰，然后将艾柱放在疣上，把艾燃点，让其燃烧到底部。此时会见到（不一定）疣组织震动，或发出轻微爆裂声。

烧完后，在伤口处抹上碘酒，再用纱布包扎好，就像灼伤的伤口一样处理，脱痂后即痊愈。这个方法，据中医师说，最多人使用，因为比较简单容易。如果你是患者，不妨试它一试。

Ⅲ　抗老补益食疗

美颜食谱

减肥之选

延缓衰老

营养佳品

木瓜润肤汤

曾做报章名气版掌门人的碧姬的妈妈，教我煲一道滋阴养颜汤，说在干燥天气时最适宜多饮。碧姬有这样滑净的皮肤，听说是她妈妈爱心投资的回报。碧姬有妈若此，夫复何求。不过，我们也差不到哪里去，时不时有高人指点护肤秘芨，还可以时常在聚会上互相交流、学习，个个皮光肉滑，当然是指日可待。

碧姬妈妈那道润肤汤是这样的：

材料： 木瓜半个（如家里超过五人饮用，则用一个木瓜）、鸡脚八至十只（亦视乎人数而定）、瘦肉十元、红枣五粒（一定要买有核的，用时才去核）、老姜一大片。

制法： 水开后，先放下鸡脚、瘦肉、红枣、老姜。煮半小时后才放入木瓜（因为木瓜易煲烂），继续中火煲至木瓜、鸡脚都烂透为止。

我已实验了一次，饮用时放一点盐调味，唔，吃起来很有味道。记得韦基舜先生说过，多吃鸡脚对骨质及皮肤有益，是最便宜的护肤品。

神仙草护肤汤水新版

这一日，又去到我熟悉的一档山草药档买神仙草、土茯苓，预备煲一锅神仙汤饮用。近日频频坐飞机外出，得修护一下那饱受不同地理气候环境"折磨"的皮肤。

殊不知老板娘说："你来迟了一步，土茯苓卖完了，只剩下神仙草。"

我颇为失望，一脸无可奈何。

老板娘马上安慰我道："且慢失望，没有土茯苓，可以用其他草药代替，你要试吗？"

我当然点点头。

"这个配搭是，神仙草加鸡骨草加百花蛇舌草，一共三十元，再加十元瘦猪肉，五个大蜜枣，像往常一样，煲它三个小时，然后放点粗盐调味，即可饮用，效果跟神仙草加土茯苓一样。"

各位读者，请记住这条单方，一旦找不到土茯苓，便可以用上述两种山草药代替，味道一样可口。这一日我就依照山草药档老板娘提议，煲了一锅护肤汤水。

胡菊人太太的护肤心得

旅居加拿大的胡菊人先生的太太刘美美皮光肉滑，我问她有何护肤秘方。

美美说："我时常就煲鱼汤，因为我记得你说过，多饮鱼汤对皮肤有益。"

"你煲的是什么鱼汤?"我问。

"在加拿大有一种石头鱼，跟香港吃的不太相同，在香港听说不便宜，但在加拿大，石头鱼一点也不贵。"

我这人十分心急，打断美美的说话，问道："是买一整条来煲吗?一条有多重?用什么佐料来煲?"

美美还是一贯的温文："一条大约一磅重，我把它打鳞后，在锅里两面煎一下，然后用一片生姜，一片果皮，加入二两淮山、茨实等煲，煲一个半小时左右。这道汤很好味道。"

让灵魂之窗更明亮

"盐多寿少"，就因为这句话，讲究养生的人都尽量吃得清淡。

专家说，我们每天所需的盐量大约二至四克已经足够。

事实上，盐的好处多到数不胜数。小时候，如遇上喉咙痛，母亲一定要我们在大清早吃早餐之前喝一杯淡盐水。不久，喉咙痛就会消失。因此，到了今日，一旦遇上喉咙痛，我依然会用这种方法来治疗。

面上有暗疮或者痤疮，搞来搞去都未见痊愈的话，不妨把一点粗盐放在面上，然后像磨砂一样，轻轻按摩两分钟，每晚洗面后做一次，面部皮肤很快会回复原状，而且毛孔亦可随之收小。

因为盐有杀菌功效，用来医治皮肤病，当然有一定的效力。

如果你没有暗疮、痤疮的烦恼，也可以用粗盐来替面部进行磨砂，一个月两次，让皮肤获得深层的呵护。

如果你的眼睛不够明亮，出现红筋，或无端出现流眼水、眼涩等现象，你不妨试试这个方法：

材料： 适量的茶叶、半茶匙粗盐。

制法： 用开水泡盐茶，焗十分钟，饮用。

功效： 明目消炎，化痰降火。此外可以治伤风咳嗽、喉咙痛、牙肉发炎等。

　　眼睛就算一切正常，也该时不时饮一次盐茶，让你的灵魂之窗更明亮动人。

　　所以，无论如何，家里一定要常备一瓶粗盐以应不时之需。

鱼，明目护肤

鱼对皮肤及健康的好处有很多，有一个这样的说法：鱼肉中的化学组成与人体肌肉的化学组成十分接近。而蛋白质中氨基酸组成亦和人体相近，因此能供给人体必需的氨基酸。同时，鱼肉含有的矿物质，如钙、磷等也比较高，是以常吃鱼可以延年益寿。

营养学家认为，动物脂肪多数是饱和脂肪酸，会令人体的胆固醇增高，促使动脉硬化而引起冠心病，但鱼油（脂肪）所含的不饱和脂肪酸，高达 70% ~ 80%，具有很好的降胆固醇作用。所以，如果可以的话，不妨多吃鱼肝油，但不必长期地大量服用。

根据资料显示，多吃鱼的民族，例如日本人和爱斯基摩人，患冠心病的比率最低。同时，大家都相信鱼可以明目、美肤，是以多吃鱼绝对是有益无害。

世界上的鱼类大约有二万多种。但你可知道哪些鱼含脂肪量最多呢？我获得的资料是：鳊鱼的脂肪含量是 15%，鲥鱼则高达 17%。

黑眼圈拜拜

眼眶周围变黑，形成一个黑圈似的，我们都称之为黑眼圈。有时候，这个黑眼圈并不完全是黑色而是褐色的。不管怎样，在眼周围出现，就叫它黑眼圈好了。

一般认为黑眼圈的形成，是由于睡眠不足。其实，女士行经期间，都会出现这种现象。

大家必须了解，我们皮肤中其中一种色素就是黑色素。如果身体健康，一切正常，黑色素是无色的，然而一旦人体呈现酸性时，黑色素就立即浮现出来，使皮肤出现一层黑气。行经期间，体质是酸性，于是黑眼圈就出来了。除月事之外也有其他原因，包括患有肝病，或是由食品或药物造成的问题等。专家说，一个人常常都有黑眼圈，你可以肯定他(她)的肝脏必定有毛病，而这些毛病多数由不知节制的饮酒和吸烟引起。

要消除这个不美观的黑眼圈，医生提议：

(1)常常生活愉快，乐观知足；

(2)要有适量的运动和休息；

(3)饮食要有节制；

(4)补充钙质，例如吃自制醋蛋。

拥有一双健康的眼睛

胡菊人先生的太太刘美美告诉我，她的护肤秘诀是多饮鱼汤。事实上多饮鱼汤不单能护肤，还可以令眼睛明亮，神彩飞扬。眼睛最需要的是维生素 A，一旦缺乏维生素 A，就会引起眼角膜炎，后果是视力减退。

鱼肝中就含有大量的维生素 A 和 D。维生素 A 是维持人类皮肤、粘膜生活正常的功臣，是人体生长发育的必需品。维生素 A 不足够时，我们的皮肤会变得粗糙、角膜会软化，且会出现眼睛干燥和夜盲症。

维生素 D，则能促进钙和磷在骨骼中沉积，缺少时就会引起骨质软化，产生佝偻(背弯)症状。所以，如果家中有人出现上述症状时，可以服用鱼肝油。

此外，要保持眼睛健康，切不可忽视蛋白质，以及维生素 C。维生素 C 是组成眼球晶状体的成分之一，如果缺少了维生素 C，就容易患上晶状体混浊的白内障病。

用醋来润肤

一位朋友问我平日除了洗面，用砂糖加橄榄油替面部做磨砂，用鸡蛋黄或蛋白做面膜，早晚抹茶花籽油以外，还有什么基本功课。

我答她道："喝暖开水、喝醋。"

"如何喝醋？"她觉得很有趣。

"每日早上起床后，第一件事就是喝一大杯暖开水。接着预备第二杯暖开水倒入一茶匙米醋搅匀，饮尽。"

我用的是厨房现成的用以煮食的白米醋，任何超级市场、粮食杂货店都有，十分便宜。

我一天之内至少饮三杯这样的暖开水加米醋水，一为皮肤，二为健康。开始的第一杯，你的口感会不太习惯，到了第三杯，你已经爱上了它。因为米醋含有醋酸、氨基酸、乳酸、甘油、醛类等化合物，可以令血管扩张，增加皮肤血液循环，且对皮肤产生柔和的刺激作用。

此外，醋有杀菌的功能，常饮醋，皮肤上的一些细菌会给杀掉，因而令皮肤变得光滑滋润。

不过，如果你有胃酸过多或胃溃疡，最好不要多吃醋，免得病情加剧，适得其反。

此外，一天内最好不要饮超过三杯，而每次用量只宜一茶匙，还要以一大杯水稀释。

如果你正在服食药物，最好先征询医生的意见。

不宜过量吃醋

我每天饮醋有两个目的，一为皮肤，二为健康。醋对美容的效用已在其他文章提过，至于健康方面，醋的功用也很多。

据说人类食醋的历史已有一万多年，就是说很早很早的年代，人类已经晓得如何酿醋，晓得醋对健康的重要性。

醋本身含有各种对身体有益的酸，如葡萄酸、氨基酸、乳酸、糖、琥珀酸、蛋白质，还有钙、磷、铁以及维生素 B_1、B_2 等。

此外醋有很强的杀菌能力，伤寒、沙门氏菌遇上食醋，十分钟内即被杀死。

有人饮用醋加水这种饮品时，因为不喜欢那种富有刺激性的酸味，于是会加入一茶匙蜜糖来调味，我不鼓励这种饮法，因为蜜糖会使人发胖。

对了，常饮醋可以减肥或防止发胖。因为醋中所含的氨基酸可以消减人体内过多的脂肪，并可以令吸入的糖和蛋白质的新陈代谢顺利地进行，所以有减肥功效。

坊间出售的醋种类不少，有苹果醋、葡萄醋、麦芽醋、糖醋、米醋等。

我饮用的是米醋，颜色带黄褐，性质平和。而且米醋含

甘苦与共

李默原来不但是作家，还是食家和"煮林"高手。

听说她一个人可以很潇洒地煮一桌菜而且每道都叫客人回味无尽。这一日，李默就教我一道鲜苦瓜冷盘。苦瓜本身有去热、消毒、杀菌、降血压、美肤明目的功效。

如果希望苦瓜能在人体内尽情地发挥它的优点和功用的话，最好能够吃鲜苦瓜，即是未经炒、煮、蒸、焗的。

但苦瓜本身苦过川莲，又带涩味，说什么也难以入口，怎么办好呢？

李默教的这道鲜苦瓜冷盘，就是针对怕苦的人。炮制的方法如下：

材料：苦瓜一只或两只、盐、砂糖。

制法：(1)把苦瓜剖开两边。

(2)用茶匙把瓜瓢刮净。

(3)把苦瓜切成小件或者条状。

(4)把切好的苦瓜件放入洗菜盆中，抓一把盐混入苦瓜内。

(5)用手挤压苦瓜一分钟，让盐把苦汁中和。

(6)把苦瓜用水洗净，把水份挤干。

(7)再用盐挤压苦瓜一分钟。

(8)把苦瓜洗净，放在通风的地方吹爽。

(9)苦瓜干身后，放在碟子上，然后放入适量砂糖搅匀。

(10)盖上保鲜纸，放入冰箱。一小时后食用。

这是一道甘苦与共的冷盘，美味无比。

美容香茶

我有个外国朋友，饮热牛奶时喜欢放入几片新鲜的迷迭香(Rosemary)，以增添情趣和牛奶的香味。

其实，迷迭香是很好的护肤草药。如果你的皮肤出现疥癣一类的征状，你不妨买一包迷迭香(高级的超级市场有售)回来，然后把它们舂烂成泥状，然后连汁一起敷在患处，用保鲜纸覆裹，再用绷带扎好。每日换"药"一次。

我们对迷迭香的认识，一般只知道它被用来当作香料用，尤其是意大利菜和法国南部菜，不管是做汤、腌肉类或是鱼类，似乎都是无迷迭香不欢。

研究报告指出，迷迭香叶片含有樟脑油成分，又是天然的防腐剂、利尿剂、兴奋剂、健胃剂。而且可以防止抽筋、减轻风湿痛、治疗神经痛、刺激循环系统、提神醒脑。

如果你有胃气胀，迷迭香可以帮助你解决问题。方法是：一茶匙迷迭香干叶加一杯水，一同煮二至三分钟熄火，焗十分钟即可饮用。

护肤健体茶

台湾的上班族，不管是男是女，近年十分注重健康。听台北的读者说，他们除了使用我提供的自然护肤养生方法外，目前还流行在办公室内饮一种自家炮制的美容茶。

材料： 可装两杯水的热水瓶一个（容量470ml）、红枣
6粒、枸杞子40粒、黄耆适量、参适量。

制法： 先把红枣浸软去核，然后连同其他已洗净的材料放入热水瓶内，再注入滚水，上盖。焗一段时间（至少一个小时）后饮用。

因为有红枣的缘故，所以味道带少许甜。

据说这道美容茶不仅行血明目，而且令人一整天精神舒畅，思路敏捷。所以我认为这道茶最合做文字工作者饮用。

所谓"工欲善其事，必先利其器"，作为"人肉机器"的打工一族，要工作顺畅，身心必先要放在最佳状态，那么适时进补或"修理"是刻不容缓的事。

这一道汉方护肤健体茶，相信一定可以帮你一把。

苦瓜茶美容美目

有一日，我教朋友饮用苦瓜干茶，因为据岑逸飞太太说，苦瓜干茶有去暑去热气的美容功效。我问岑太在哪里买得，她说她是在深圳买的，香港有没有卖则不得而知，后来一位读者来信告知本地的国货公司亦有得卖。

及后遇一位老前辈，向他查询苦瓜的好处。前辈说，这种苦瓜干茶不单去热去暑，如患上无名眼红或眼肿，也可以饮用这种苦瓜干茶，严重的当然必须去看专科医生啦。我又问老前辈，苦瓜干可否自制。他爽快答道："当然可以。"以下是苦瓜干制法。

材料： 鲜苦瓜一个，任何茶叶一汤匙。

制法： 直度破开苦瓜，把核及瓤清除。放入茶叶，把破开的苦瓜缝合，然后把它悬挂阴干（不能晒）。

饮用： 每次切 10 克左右，放入杯中泡大热开水，焗十分钟饮用。或者放入水中煮三分钟饮用。一日内至少饮用三杯。

苦瓜性寒，所以对于那些脾胃虚寒的人来说，不宜多

食。前辈说，有些人会常常觉得烦躁、心火盛及口渴，因此脾气不大好，既让人讨厌亦令自己的皮肤变坏。遂介绍了两剂苦瓜茶，说保证一杯见效。

1

材料：鲜苦瓜一个。

制法：把苦瓜切开，去核，然后切碎，用四杯水以中火煮十分钟后饮用。

2

材料：鲜苦瓜一个，砂糖五十克。

制法：把苦瓜切开去核，搅成泥状，加入砂糖一起搅匀，隔两小时后滤取汁液饮用。

去干去黄小贴士

曾有读者问我如何改善面色和皮肤干燥的问题。我的建议是：

(1)每晚临睡前两小时不再进食任何食品，包括流质的东西；

(2)每晚临睡前直腿弯腰(手指尽量贴地)并尽量压缩腹部，数三十下后直身，然后睡觉；

(3)早晨起床后，马上做上述第(2)项动作；

(4)早晨运动后空肚先饮一杯温开水，之后一小时再饮一杯；

(5)必须每日肠胃畅通；

(6)少吃肉类，多饮对皮肤肠胃有益的清汤水；

(7)早晚洗面后，在滴有化妆水(toner)的化妆棉上再滴三滴鲜柠檬汁，然后轻拍面部。柠檬汁可漂白、收紧皮肤，及化解化妆水内含有的化学物质；

(8)用少许美容液(essence)轻拍两边面颊。不必抹上任何cream。因为三十分钟后，我们皮下的油脂会自动走到皮肤表面滋润皮肤。再抹cream的话，皮肤就会变得很油腻。

麻油菠菜舒解面红

在读者会上，有一位满面通红的年轻女士，在休息时间跑来问我有何方法可以令面部好过一点，她说："你看我的脸，整天都是这样的红彤彤，彷佛搽了胭脂，其实我的皮肤很敏感，所以不能用护肤霜或化妆品。"

我问她有没有去看医生。她说已看了许多年医生，有一阵子还要她服食类固醇，但依然故我，令她很受困扰。

我建议她吃一道美食：麻油拌菠菜。

材料： 菠菜一斤、麻油适量。

制法： 把新鲜菠菜洗净，待锅中水煮开后，放入适量的食盐调味，接着把菜放入锅里，煮三至四分钟，马上取出，再用适量的麻油拌匀后服用。一星期食多次。

麻油拌菠菜的功效包括：可以通血脉、益血润肠。一直以来，民间用它来医高血压之便秘、头痛、面红、目眩等症。

而菠菜本身：性味甘、凉、功能养血、和血及利大肠。

麻油的功效：性凉、入胃、大肠，可以润肠通便，还可以作为一种促凝血液剂。

希望这位读者有恒心地使用这个方法来医治那一张红彤彤的脸。

用这种天然方法护肤，一定要有耐心和恒心，一曝十寒，一定见不到成效。

爱美是我们女性的天性，要拥有一张完好的面孔，是需要点时间的。不要急。

茶叶养颜去口臭

我小时候看见家人用茶渣当肥料来种花，就知道茶叶必然营养丰富。所以，我现在也用茶渣来种花。

吾友小潘说，饮茶时也不妨把茶叶吃掉，不单养颜醒神，而且可以去除口气(臭)。

清乾隆皇帝曾说："君不可一日无茶。"原来据研究所得，茶叶里含有多种维生素和氨基酸，此外还有茶碱、咖啡因、丹宁酸和碘，统统都是对人体有益无害的物质。

听说，茶叶含有氟，所以饭后饮杯茶，可以防止烂牙。对容易有烂牙的老人家来说，这个是最简单、安全的护齿方法。

至于如何饮用呢？对饮茶甚有研究的小潘说："不必像饮功夫茶用这么多器皿以及繁复的手续。要饮的时候，抓一把茶叶放进大玻璃杯子里，用滚水一冲。然后隔著玻璃欣赏茶叶一片片沉下杯底，举杯呷一口，是真正的人间快事。"

听说，如果茶叶是笔直地下沉的话，那是好茶叶。

龙眼核除狐臭

龙眼为什么又称为"桂圆"呢?因为龙眼成熟时正是桂花飘香醇节,而果实外表圆浑且状如龙眼,所以名为"桂圆",又称"龙眼",其果肉、果壳以至种子都可以作为药用,可见龙眼这种水果是多么的有益及有建设性。而龙眼肉成分中含有葡萄糖、蔗糖、蛋白质、氨基酸、脂肪、烟酸和维生素 B_1、B_2、C、钙等。

食疗专家指出,龙眼肉对细胞有一定的营养作用,可以增强记忆,消除疲倦。食用方法,除了加入杞子来焗茶外,还有许多用途和食法。

(1)外伤出血:把龙眼核舂烂,除去核外的黑衣,把核碎焙到焦干,然后磨成粉末,撒在伤口上,再用纱布包扎妥当即可;

(2)除狐臭:龙眼核六粒,花椒十四个,一起研磨成粉末,一俟出汗就把一些粉末扑于腋窝处。

由于龙眼肉性偏于温,那些大便干结、牙肉或痔疮出血患者,都不能吃,孕妇也不宜进食,恐会有碍胎气。

去狐臭新法

从前以为，如果要驱除狐臭，就必须天天洗澡。这样做，狐臭必走无疑。现在才知道狐臭这东西与是否天天洗澡无关，因为那是从内散发出来的，跟内分泌失调有关。因此，有专家主张做个小手术，把腋下的汗腺切除，免除了因出汗而令狐臭气味四散。

一位来自美国东岸署名 Maggie 的读者来信说："要消除狐臭十分简单，我的许多朋友，不论是男是女，都是用这个方法来治愈狐臭、手汗、脚气、脚汗等等内分泌功能遇上阻滞的问题呢！这个方法就是每餐煮饭时，你如果要用两杯白米的，你就改用一杯白米，另加一杯糙米(去壳但未经打磨的米)来煮饭，即是两种米各一半，连吃一个月这种半糙米饭，已经见效。如果仍有问题就继续吃，直至问题解决为止。

"这种糙米含有丰富的维生素，老少咸宜，没事的人吃了，会增强抵抗力，防止骨质疏松，帮助消化，养颜益寿。"

柠檬汁消脂

天气突然转冷的一天，我大意地中招了，几个喷嚏，马上鼻水直流，明显地患了感冒。

谁说小病是福？

这种伤风感冒的小病最折腾人。为了摆脱这种小病的魔掌，我马上吃半个鲜柠檬。

到了黄昏，病情依然不见起色，头重脚轻身热。原来还发烧呢！立即发狠地再吃柠檬，这一次是一整个，虽然酸到两眼紧闭，为了赶快痊愈，也顾不了这许多。

此外还不断的饮暖开水。晚上九时多就爬上床倒头大睡至天明。

翌日起床，又回复精神奕奕，按时开工(上班)去。

曾收到一位读者提供的"柠檬汁消肥法"，可给予想减肥的朋友参考。

方法是，鲜柠檬一个切片，连同三碗水倒入煲内煮至一碗水，盛起，加一点砂糖搅匀，饮用。

一星期饮一次，一定要在饭后饮。连饮多星期，人就会消瘦云云。我不曾用过这个方法来令自己苗条，但这个方法又简单又不要节食，我一定会试。

你也不妨试试看，然后把效果告诉我，当作是做个实验。除了食柠檬，我也爱柠檬的气味，尤其是柠檬花的香气，要靠近才能闻到，幽幽的散发柠檬香，给人一种很安全的感觉。

去脂9大美食

介绍给你九种去脂食品，种种都是日常购得的水果及鱼类，十分简便，希望对你的"脱脂"大计有帮助。

(1)冻豆腐——冻豆腐能吸收胃肠道以及全身组织的脂肪，并有利脂肪的排泄。

(2)凤梨——凤梨内的蛋白质能分解酵素，具有分解鱼、肉的功能，吃完大餐后可以吃它。但凤梨性凉，有人吃完后会不舒服，那么这些人就该少吃凤梨。

(3)陈皮——汉方的陈皮，对脾、肺都有益，可以帮助消化，排除胃气，减少腹部脂肪的堆积。但是有心脏病、血管毛病的人最好少吃。

(4)薏仁——味道微甜的薏仁，对水肿型的肥胖很有帮助。不过，孕妇不可吃薏仁。

(5)乌贼——乌贼的脂肪含量是每一百克才有零点七克，是不容易害你变胖的食物。

(6)木瓜——木瓜本身有轻微的兴奋作用。《本草纲目》说："木瓜可以去水肿，治脚气病。"关节有问题的人，多吃木瓜可以改善。

(7)腌制过的菜——例如韩国和日本的泡菜，植物性脂肪已被分解，而当中的蛋白质、维生素、矿物质都被破坏得至少，是以多吃可以去除体内多余脂防。不过，水肿型的肥仔肥妹用这道食品来减肥不会有效。

(8)竹笋——竹笋具有低脂、低糖、多粗纤维的特点，可以防止便秘。但竹笋含有难溶性的草酸钙，有胃溃疡的人不可多吃。

(9)绿豆芽——即芽菜仔，除含有较高的磷和铁之外，主要是含有大量的水份，是以多吃绿豆芽，皮下脂脂形成的机会极低。

以上的去脂食物清单是读者 Teresa 寄来给我，说愿与各位读者朋友分享。在此代表大家向 Teresa 说声谢谢。

吃胡椒减肥

你喜欢在食物上加点胡椒粉吗？例如吃及第粥、鱼云粥、艇仔粥，或者吃云吞面、牛腩面时也不忘加进一点胡椒粉，目的是增加食物的香味，也增添我们的食欲。

皮肤专家黄医生，就是个吃饭时无胡椒粉不欢的人。而他只爱一种胡椒，就是黑胡椒。

不妨在这里再讲讲，其实胡椒一共有五种，就是黑胡椒、白胡椒、灰胡椒、绿胡椒和粉红胡椒。最常见的当然就是黑、白胡椒。黑胡椒是所有胡椒当中，最芳香且味道最浓的。我自己则喜欢白胡椒，味道虽然较黑胡椒淡，但胜在富有香气。

黄医生说他之所以这么喜欢吃胡椒，是因为它对身体有益。他还郑重地说："胡椒可以减肥呀。"

分明是说给我听的。

胡椒的功效原来多得很，它可以治感冒，帮助解除消化不良、食欲不振、解毒、止痛、驱寒、化痰、利尿、健胃、保肝、温暖子宫、消炎、杀菌等等。

减肥健美草

Dill(莳萝草)这种香草,许多人都喜欢用来腌三文鱼。在西餐厅吃自助餐时,往往都会看到铺满青草条的烟三文鱼,这些青草条就是切短了的 Dill(莳萝草)了。

常吃 Dill 草,可以美颜健体,因为 Dill 草有开胃、治头痛、治牙痛、治动脉硬化的本事;还可以用作利尿、驱风、减肥。常常会抽筋的人,应该多吃莳萝草。据专家说,这种香草可以消除口臭、去痰,以及治疗因消化不良而引起的胃痛。

有人曾经用姜丝炒莳萝草,据说口感不俗,味道很清新。如有机会,我一定要试试看。

Dill 草分两种,一种是新鲜的,一种是干的。如果你买的是新鲜 Dill 草的话,用完剩下时,不妨用湿纸巾把它们包着,然后放入冰箱内,可以存放两天而香味不变。干的 Dill 草,该放入瓶子内密封,放在不见阳光的地方,可保香气一年。

防癌养颜的洋葱

很喜欢吃洋葱，但最怕切洋葱，每一次切洋葱，还未切完半个，已经泪流满面，双眼给液汁刺激至睁不开，非常辛苦。最近一位厨师对我说，这种情况可以避免。

方法是，每次切洋葱，先把洋葱放在冰箱冷藏一小时。或者戴一个护目镜，一般的平光眼镜都可以，甚至是一边冲水一边切洋葱，也可解决切洋葱流眼泪的"痛苦"。

我喜欢吃洋葱是很偶然的事。

许多年前不知什么缘故，整天都痰上颈，用尽办法，也有一口痰卡在喉头，不上不下，令人十分不舒服。邻居一位太太教我吃洋葱，把生洋葱当生果一样吃半个就可以。

听说吃的是生洋葱当然满不是味道。但为了赶走那一口痰，也管不了那许多。于是把洋葱切成四份，我吃了四分之一个。原来并不难吃，像大蒜一样，有种说不出的甜味。吃完四分之一个洋葱后不多久，那口痰就消失了。

据科学证明，洋葱可以防癌，预防坏血病，也是利尿剂、抗生素、兴奋剂，此外，洋葱可以治感冒，方法是生吃。原来它还可以驱除肠内的寄生虫、洽痢疾、胆结石和风湿等。

总之，多吃洋葱，皮肤滑净。因为洋葱有丰富的维生素A、B、C、E以及钾、叶酸等矿物质。

吃生洋葱后有口气，嚼一片薄荷叶或几粒咖啡豆或一小束洋芫荽，马上令口气回复清新。

养颜抗老的杞子

杞子可以明目、养颜抗老很多人也知道，杞子还有其他效用，保证为你带来惊喜。

杞子本身味甘、性平。唐代的《药性本草》记载：杞子"补精气诸不足，易颜色、变白、明目安神，令人长寿。"短短几句话已经明确指出，杞子有美颜的功效。而《神农本草经》谓："久服坚筋骨，轻身不老。"

据现代的研究，杞子和枸杞的根叶含有甜菜碱，多种不饱和脂肪酸、维生素 B_1、B_2、C、烟酸、胡萝卜素，以及微量元素钙、磷、铁等。杞子有降血压、降血糖的功效。肥人、中老年人容易患上高血压和糖尿病，杞子正好可以医治这些病，而且可以减肥和健美。

没有比"减肥"更令人开心的单方了。据说如果能够坚持长期吃杞子，人可以活到一大把年纪时，仍然"行走如飞，发白返黑，齿落更生，阳事强健"。

听来似乎十分夸张，但杞子对身体有益无害应是事实。

饮食肥腻 未老先衰

吃得清淡，是目前健康饮食中最为流行的，因为大家都知道，多吃油性重的食物易伤肠胃。

油就是指脂肪，它的用量多少直接关系到食物的味道。因此许多人都爱进食多油的食品。尤其是逢年过节，食物非常油腻，虽然美味可口，但却损伤肠胃。

因为，脂肪在口腔和胃中，基本上不发生化学变化，只有经过十二指肠进入小肠后，在胰液、肠液等消化液的化学作用下才发生化学变化。

据专家指出，正常的成年人每日约分泌一千至二千毫升的胰液，而胰液中则含有大量的碳酸氢钠，可以中和胃酸，有利消化。当我们吃进过多油量高的食品时，由于胰腺分泌出来的胰液量不变，这样就会导致吸入过多的脂肪得不到

消化吸收，而直接随粪便排出体外，这即是因消化不良而出现的腹泻。

此外，留在体内未被溶解的蛋白质会产生有毒的苯酸，

刺激肠壁、血管，结果出现慢性肠血管扩张，后患是皮肤变坏，整个人会未老先衰。所以设法吃得清淡是好的，不但对健康有帮助，而且令人青春长驻。

　　有人为了应酬，所以无选择地去大吃大喝。但如果之后可以守斋一天的话，相信会有帮助。守斋的日子，吃的当然是清茶淡饭，例如白粥、蔬菜、蒸鱼、蒸蛋，甚至是豆腐花淘饭，也是一道清淡又美味的家常便饭。

豆腐、豆浆的补益

豆腐一直以来备受健康饮食者的欢迎，主要原因是营养丰富，蛋白质含量高，易消化吸收。

但豆腐不适宜长期及大量的食用，否则也会引起一定的害处。

据专家说，豆腐含有大量的钙质，如果食用过多，可能在体内产生沉淀导致结石。有人说，和尚尸体火化后遗留的"舍利子"，就是钙质积累过多的现象。当然，和尚是吃豆腐最多的族群。

至于豆浆呢，营养价值与牛奶相当，且价钱便宜。

豆浆的功能："清咽桔腻，泻热下气，利便通畅"，豆浆蛋白质属植物性蛋白，偏碱性，人体血液正常时是偏碱性的，是以豆浆符合人体的生理情况。

豆浆必须煮熟后才可饮用，因为生豆浆含有可以使人中毒的和难以消化吸收的皂毒素和抗胰蛋白醇等有害成分，而这些有害成分，在烧煮到中心温度达摄氏九十度以上时，就会逐渐分解破坏。所以豆浆必须煮熟才可饮用。半生不熟的豆浆都会引起中毒。

　　饮用未经煮熟的豆浆，一般会在半小时至一小时内发病，症状是胃和食道有灼热感，并有呕心、呕吐、腹胀、腹痛、头晕、头痛等现象。严重的会引致全身虚弱无力、痉挛等。所以，必须选择有信誉的老字号豆腐店方可饮用豆浆。

吃黑芝麻青春长驻

据现代医学分析，黑芝麻含有丰富的卵磷脂，是构成脑神经组织和脑脊髓的主要成分。这样看来，黑芝麻有健脑益智作用，能促使细胞返老还童。所以营养学家都称之为"智慧之花"。

如果你害怕年纪渐长会出现老人痴呆症的话，就必须一星期至少吃二至三次芝麻食品。

而对于"好人好姐"、无病无痛的人来说，黑芝麻也是必吃的食品，因为它不仅可以避免中老年记忆力衰退，还可以改善和增强记忆力，并可以养颜、润肤、去斑(特别是老人斑)、预防脱发，及过早出现白发。

别小看这一粒粒黑色的小东西，它所包含的"威力"可说是无与伦比的，它含有丰富的天然抗氧化剂(把青春期推迟)维生素E，可以促进细胞分裂、抵销或中和细胞中的自由基(人体会不断产生导致衰老的自由基)、减少细胞脂质过氧化，使细胞免受自由基的损害，维持细胞膜的完整和正常功能，延缓衰老。

因此在中国的养生智慧中，早就认为常食黑芝麻，可以养生防老，延年益寿。

据说古罗马的斗士在肉搏之前一小时，首先要吃半公斤芝麻，以增强体力。

　　所以，从今日开始，别忘记多吃黑芝麻(或白芝麻)，让它为你抑制胆固醇，清除血液里的活性氧(自由基)，预防动脉硬化、心肌梗塞等症状，并使皮肤细滑、皱纹拜拜。

姜醋是美容妙品

我邻居那位八十多岁的婆婆说，姜醋蛋对人体的好处相信比单纯的醋蛋为高。

她说，姜醋蛋可以驱风去寒补身。姜可以治偏头痛，中医常说："姜，味辛性温，具有散寒发汗解表祛风作用。"浸透了米醋的姜，就成了双管齐下，更加顶呱呱。

至于醋，尤其中国的米醋，有治病益补功效，可以散淤、消肿、解毒杀虫。日本人说，常饮醋可以使人的骨骼变得柔软，防止身体发胖，可以免患风湿，帮助消化、利于吸收、消除疲劳、预防衰老、扩张血管、降低血压，防止心血管疾病，降低尿糖含量，防治糖尿病。此外，还可以美容护肤，由于醋中含有醋酸、乳酸、氨基酸、甘油和醛类等化合物，对人的皮肤有柔和的刺激作用，并能令血管扩张，增加皮肤血液循环，杀死皮肤上的一些细菌，使皮肤光润。

不过有胃溃疡和胃酸过多的人，不宜吃醋。醋吃多了会伤脾胃阻碍钙的代谢，使骨质受损。所以姜醋蛋不宜日日吃，一星期吃一次即可。

治病健体的水果

记得一位读者曾来信说，为了令皮肤好，应该多汲取维生素 C，每日至少汲取 1，000mg，分两次服用，每次 500mg，饭前服。

很明显这位读者服食的是在药房买到的维生素丸。

不过皮肤专家认为，如果可以的话，最好从新鲜水果中汲取维生素 C，例如橙、柑、柠檬等，而且以柠檬含维生素 C 最丰富。

原来水果除了蕴含维生素 C 之外还含有许多有机酸、苹果酸、柠檬酸等。

女性过了三十五岁，骨质往往会出现问题，而钙和磷却是维持骨质健康的要素之一。于是许多女性都晓得适时"进补"，但却不知道吃进的钙和磷是不是被有效地吸收。

而新鲜水果所含有的什么酸什么酸，除了可以帮助消化之外，亦可以使小肠的上段化成为酸性环境，以利身体对钙和磷的吸收。

多吃水果还有一个好处是，水果含有的纤维素有利于刺激肠壁的蠕动，结果是，天天肠胃畅通，防止或治愈便秘。

此外，原来适量的维生素 C 还会防止致癌的物质亚硝胺在胃中形成呢! 至于柠檬酸，据说对儿童的佝偻症有很好的疗效。

所以，每日吃适量的新鲜水果对身体有益，还可以治病! 例如生了口疮，最好就是吃西瓜，肺燥痰多，那就不妨多吃雪梨了。

水果必须现洗现吃

　　中国老人家对于新鲜的水果，都有很特别的见解，例如认为芒果湿热，吃了会闹肚子；西瓜寒凉，身体虚的人吃了会头晕；香蕉也是带寒的水果，吃多了会变得面青青；榴梿性热，吃了会出暗疮，此外，因为糖分高，吃多了，身材会发胖，真是禁忌多多。看来最正气的可能只有苹果、橙和雪梨。

　　无论如何，应该各样水果都汲取，但不能过量，必须要适可而止。从前见过一个人，因为喜欢吃芒果，能够一口气吃七个。一位老人家很不屑地指他："真是饿鬼投胎。"平心而论，这吃相也实在令人吃惊。吃犹如此不知节制，做人方面可想而知了。

　　吃新鲜水果，尤其是连皮吃的，一定要注意卫生。

　　有人一手执起个苹果，在衣襟上擦一两下，或者用手抹抹，便张口大咬，以为很粗豪很有性格很浪漫，结果适得其反，为消化道带来传染病甚至是某些慢性病毒，后患无穷。

　　水果很容易受污染，例如农药、工业的废水啦。此外在采撷、运送、贮存、售卖的过程中，都难保不会受到各种细菌的污染。

　　据说在室温摄氏二十度时，痢疾杆菌可以在西瓜上生存九天。

　　吃水果前，必须先把水果消毒，例如使用蔬果消毒液等，洗干净才可进食。

　　还有，水果不宜放置过长时间，最好现买现洗现吃，以防止受到细菌的侵袭。

从西瓜到冬瓜

收到读者来信讲解各种水果的好处和优点，我觉得十分有意思，而且可以增加我们对水果的常识，于是辑录于此，供大家参考。如果你在这方面有补充和更正的话，欢迎你来信告诉我。

（1）南瓜（最近很流行吃南瓜，例如南瓜翅、南瓜布丁、南瓜炆火腩、南瓜甜糊等等）：性甘寒、无毒，含蛋白质、脂肪、尿素分解酶、维生素、南瓜子氨酸、南瓜仁碱，功效补中益气和杀虫（杀肚里的蛔虫、姜片虫、绦虫等）。杀虫的方法是：先把适量的南瓜子炒熟，然后磨碎成粉，再加入蜜糖调和服用。

（2）西瓜：除了含有果糖和葡萄糖之外，还有蛋白质、苹果酸、磷酸、各种氨基酸。把西瓜仁（子）炒熟食用，立即去口臭。

（3）香蕉：含有丰富的纤维素，可以治疗便秘。此外还有维生素A、B、C和E。不过，不适合血压高的人士食用。

（4）山楂：如果你有腰酸背痛、动脉硬化、高血压、冠心病的话，不妨多吃山楂。然而不适合患有消化性溃疡的人士食用。

（5）冬瓜：如果你患有腹胀、水肿、糖尿病和小便不畅

快的话，不妨试试用新鲜冬瓜皮(适量)加水煮成浓汤饮用，很快会消肿而且小便畅顺。因为冬瓜本身含有蛋白质、菸酸、葫芦碱和各种维生素。此外，冬瓜仁(子)还有清热、化痰的效用呢!

牛膝草是什么

到超级市场买菜，在蔬菜部看见一包包用小塑胶袋包装的新鲜 oregano 草。朋友问："那是什么香草？有中文名字吗？"

我答道，这就是西菜中用以添加香气的牛膝草，有人称它作"花薄荷"。它的原名是 Marjoram，而这种 Oregano 就是 wild Marjoram，原产于北欧。

牛膝草是调味的好帮手。有一次我自己想炮制番茄干，像意大利菜那些一样的，于是打电话到九龙香格里拉酒店 Napa 餐厅，找他们当时的主厨 David 请教。

David 在电话那一边说："先把番茄去皮兼去核，然后放在用来烧烤的铁丝网上，洒一点盐，放上一小棵 Oregano，之后，用火慢慢地把番茄烤成番茄干即可。"由于放了 Oregano 的关系，在烧烤过程中，不时飘来阵阵清香，叫人十分迷醉。

家中常备 Oregano 不一定是为了煮菜，在古时已有人把它当药用，像我们中国的山草药，是所谓的看门口药品，有什么急需，马上大派用场。

神秘的九层塔

与家人到尖沙咀某酒店一间著名的意大利餐厅吃晚饭，当中一道菜是酥炸鲤鱼块件伴以焗蛋角，碟边放了几片叶作装饰。我随手放一片入口，唔，好香，是香草来的呢。

问大厨这是什么叶，答曰：Basil。

Basil 的中文名字是"九层塔"，原产于印度，是用以奉神的名贵香料。

九层塔可以用来炸，可以用来炒。例如可以用来炒蚬或者炒茄子。方法是，待油滚后，先炒一下九层塔，放碟上。然后再炒蚬，待蚬肉熟透，放入九层塔一起炒，浓浓的香味令人垂涎三尺。上碟后，洒上一点细盐，一点豉油，一点细砂糖和黑胡椒粉，美味无比。这道菜，可以配意大利粉，可以拌中国面吃，亦可以作中菜配白米饭进食，一样可口。

Basil 在古希腊历史中被称为"香料之王"。意大利菜、法国菜都爱用 Basil 来作调味料，就因为它那种难以形容的香味，有人说像柠檬，有人说像茉莉花，亦有人说像樟脑。洋人家里绝不缺少九层塔，因为它有医药的功能，最常见的用途是用来消除风湿痛，梅雨时节风湿起，洋人就会用干九层塔放入杯子中，用大滚水泡浸十分钟至十五分钟，然后饮用，新鲜的九层塔亦有这种效果。

这种饮品还可以治失眠、腰酸背痛、伤风鼻塞、制止抽筋、治偏头痛等。有男人说它还可以壮阳强身呢!

它的种子被日本人称为"光明子",原来种子浸水后,可以治眼疾呢!

流行吃南瓜

朋友请吃饭，当中一道菜是南瓜翅，即是以南瓜蓉作为汤底来烩鱼翅。

曾到一相熟食肆吃饭，经理特别推介一道豆酱煮南瓜。

南瓜在农村或贫穷地区是很普遍的食品，一般城市人是很少用来煮食的，我们小时候听说南瓜都是用来喂猪的。世易时移，南瓜在大城市的菜谱中有日渐抬头的趋势。

只经常听到人家说："南瓜很有益呀，营养价值很高，讲究美容护肤的女士，一定要多吃南瓜。"于是我去查翻有关南瓜的资料，看看它有多厉害。以下是一些记录：

南瓜：含有蛋白质、脂肪、尿素分解酶、维生素、南瓜仁碱和南瓜子氨酸。药性甘寒无毒，有补中益气和杀虫的功用。有位前辈指点，把南瓜的瓜子炒熟磨成粉末，再加入少许蜂蜜搅匀服用，可以治蛔虫、姜片虫、绦虫等寄生虫。还有就是，把南瓜的蒂用火焙干，再磨成粉末，可以口服，可以外敷。口服能治孕妇胎动不安；而外敷呢，可治产妇乳头皲裂和糜烂。

如果不幸烫伤，立即敷上南瓜蓉；如果患有牛皮癣的话，把南瓜叶舂烂，然后敷在患处，待干涸后洗掉，再敷上新的，直至复元为止。

原来南瓜可以杀虫益气治牛皮癣之外，还可以治寒性支气管哮喘呢。

根据民间的偏方，用南瓜一个，切碎后加入等量的饴糖（饴糖作用化痰止咳，并润五脏），再放入一点水搅匀，然后倒入瓦锅中，慢火煮至溶烂，取汁去渣，再把汁煮一次至浓缩浆状，然后加入生姜汁（分量是每 500 克瓜汁加姜汁 60 克），搅匀。服用时，取 15 克姜汁南瓜浆，开水服食，每日饮二至三次。不久，气管会变得舒畅。

西瓜浑身是宝

一旦提及瓜，不能不讲一下西瓜、冬瓜之类。先讲西瓜。许多老人家吃完西瓜后，都会把西瓜皮(白色那一面)往面上磨擦几下，说这样可以消暑、清热、润肤。

西瓜像南瓜一样，浑身是宝。

西瓜的果肉含有蛋白质、果糖、葡萄糖、磷酸、苹果酸和各种氨基酸。

西瓜的汁、瓤、皮、种子等都可以入药，而且药性甘凉无毒。

例如，把西瓜皮煎汤当茶一样饮，不仅清热消暑，还可以医治口疮和高血压。

西瓜种子有清肺、润肠、补中益气的功能，把它们炒熟食用，还可以医治口臭。把西瓜种子磨成粉末，吸去油分，然后用开水服用，可以治经量过多。成药西瓜霜，则可以治喉咙发炎、扁桃腺炎等。

冬瓜治咳

日前到菜市场转，看见冬瓜。一直以为冬瓜是夏天的瓜菜，因为天时暑热的夏天汤水，必然有冬瓜。例如夏天煮清补凉糖水、冬瓜加生熟薏米煲瘦肉、冬瓜加荷叶煲瘦肉等等，都是很美味的消暑去热汤水。

《滇南本草》说："冬瓜能治疾吼、气喘。且能润肺消痰热，止咳嗽。"

根据民间的偏方，如果患上热性支气管哮喘的话，可以用小冬瓜一个、冰糖三两，然后把瓜切开不去瓤，放入冰糖，再合好，隔水蒸熟，连吃七日，作为一个疗程。

此外，冬瓜的子亦可治病。如果患上了支气管扩张，咳嗽不止的话，可以用冬瓜子仁十五克，加入适量红糖，然后把它们研细搅烂，加开水冲服，每日饮两次。

在我们日常食用的瓜菜中，瓜类似乎不少，除了南瓜、西瓜和冬瓜外，还有丝瓜、苦瓜、节瓜、金瓜、黄瓜、茄瓜、青瓜等等。

如果用来治咳嗽、气管炎、哮喘等与气管有关的疾病，除了冬瓜，还有丝瓜。

因为丝瓜擅于清热化痰，尤其是热咳者，食丝瓜最好。用以滚汤、家常小炒等都可以。

如要特快见效，老人家说，最好是丝瓜煮豆腐。我不曾吃过这道菜，既然有益，大家不妨试试。

饮土豆汁通便

署名"一忠实读者"来信提议有便秘痛苦的朋友不妨多吃芋头。他说芋头含有维生素 B_1、B_2 和 C，而且淀粉质丰富，是几百年来民间的传统治疗便秘单方之一。所以，趁芋头当造时，不妨多吃一点，可以焖，可以白烩，可以煲，各适其适，任君选择。

此外马铃薯(俗称"土豆")也是治疗便秘的一种食物。而食用方法则与芋头有点分别。

方法是：把土豆去皮，然后切成一片片(薄片)，放入搅拌机内搅成糊状，接着用消毒纱布绞汁，每天早上起床后空肚饮服半杯，到午饭前又饮半杯。

大概服用二至四天即见效。但有些便秘者要服用二十天才见效。这个当然就是要看个人的体质和吸收能力，才能作准。不过，一般而言，服用了两天生磨土豆汁已经"很舒服了"。

我仍然是那句话，要皮肤靓靓，首先是要肠胃天天畅顺，日日保持心情愉快。

自制芦荟汁

常吃(饮)芦荟，不但可治病清肠胃，还可以令皮肤变得更细致，更滑溜。

芦荟可以榨汁饮用，如果你在坊间购买的话，必须买纯正的。如果你对坊间出售的芦荟汁没有信心的话，你大可以自行制作。方法十分简单：

(1)按自己的需要，把适量的芦荟研碎(可用果汁机把它榨成汁)，把液汁榨出。

(2)放在锅内煮沸三十分钟。这时锅内会出现大量白泡沫，必须把泡沫清除。

(3)把清除掉泡沫的芦荟汁放凉，然后转倒入另一个器皿内，放到冰箱中冷却。

喝的时候加入一点蜜糖或砂糖，味道一流。

同时由于芦荟是一种很耐热又耐酸的物质，所以，不论是混入热茶或热汤中饮用，都不会改变成效。

我因为懒惰又怕麻烦，就索性从盆子中割下适量的鲜芦荟生吃。

我首先把芦荟两侧的刺用刀削去，然后用清水洗去尘埃，接着放入汤碗中，倒入开水浸两分钟，把它再清洗一次，务求把附在叶面上的细菌杀死。然后连外皮一齐吃。

这个，对于医胃痛非常有效。

但女性行经期间和怀孕期间，最好不要食用芦荟。因为芦荟本身是通经剂，可能会造成出血量增加，及子宫内出血。

这是非常危险的，大家必须注意。

汲取优良钙质

为了免除黑眼圈，除了适量的运动和休息、饮食有节制、经常保持心情愉快之外，就是汲取钙质，因为钙可维持人体酸碱平衡，而体内欠缺钙质会使体液趋向酸性。要汲取优良钙质，除了自制醋蛋之外，还可以从绿叶类蔬菜、豆科植物中获得。

唯一的例外是菠菜，菠菜含有丰富的钙质，奇怪的是，却不容易被人体吸收。

至于豆类食品，自然令人想到豆腐、豆芽、大豆芽菜及芽菜仔等。这些豆类食品不单含有丰富的钙质，也含有镁。

而镁和钙，正好就是骨质成长的要素。这样看来我们要汲取钙质并不困难。

但要把钙质留住，不让它流失就有点困难。方法当然有，最好的方法是：减吃肉类，每天不要饮超过两杯咖啡，少吃盐，少抽烟，做适量的运动，有适量的休息。

Ⅳ 小病自疗法

失眠

腰酸背痛

头痛

便秘

其他常见病

蕃茄红素防治乳癌

一份医学报告提出，番茄可以防治乳癌，报告说：番茄含有的番茄红素有预防乳癌的效果。而番茄酱、番茄汁或番茄汤等，这一类经过加工的番茄食品，当中的番茄红素较之鲜番茄的番茄红素，更易被人体吸收，故比生番茄更能降低患上乳癌的机会。

番茄不单对女士有好处，对男士亦照顾周到。根据英国一份报章的报道，男士多吃番茄可以预防摄护腺癌和心脏病。

结论是，番茄、西瓜与红葡萄所含有的红色番茄红素，能预防乳癌、子宫颈癌、前列腺癌、结肠癌和心脏病，其中尤以预防乳癌的效果格外显著。所以，专家说如果我们每日能吸收二十五毫克的番茄红素就最为理想。

此外，番茄红素有益皮肤，多吃可以令面色变靓。要是不信，可以试试看。

明目安睡茶

听老人家讲，桑椹是很有益的果子；既能补血又能安神，说它"滋肝肾、充血液、聪耳明目、安魂镇魄"，真是神奇。如果有神经衰弱，常常头晕，晚上又睡得不好的话，不妨多吃点桑椹或桑椹制成品，例如桑椹蜜、桑椹酒之类。

听中医师说，一个人常常头晕失眠，多数是因为血虚，或者是神经过度紧张所造成。

桑椹可以令人睡得安稳，同样，龙眼肉也可以有这个功效。

这里给你几条祖传秘方，制法简单，口感又好。

(1)龙眼肉杞子茶：龙眼肉十粒、杞子三十粒(洗净)一同放入可容两大杯水的暖壶内，加满开水，浸十二小时后饮用，中午一杯、黄昏或下午一杯。天天饮用，包你双目有神，精神奕奕又睡得好。

(2)龙眼肉莲子茶：龙眼肉六粒、莲子六粒、芡实六粒，放入炖盅内，加一杯水，炖两小时，睡前服用。

(3)龙眼肉酸枣仁茶：龙眼肉十五克、酸枣仁六克，放入杯内，然后用开水冲泡，焗半小时，睡前饮用。

莲子养心安神，补脾益肾，最适合失眠多梦的人服用。

酸枣仁能养肝、安神。用酸枣仁六克加白糖，用开水焗半小时，临睡前服用，适合神经衰弱的失眠者饮用。

神经衰弱、失眠都是大都市的常见病。可能是精神压力太大了，叫人受不了。

薄荷茶让你睡得香甜

另外一款简单的良方——薄荷叶也能帮助你晚上睡得香甜。

这个方法是：用五、六片薄荷叶放入大水杯中然后冲满大热开水，覆上杯盖，让它焗大概二十分钟饮用。如果嫌味道寡或不习惯纯薄荷味，那么，可以放入一茶匙蜜糖搅匀饮用，美味无穷。

这种饮品适宜在晚上临睡前两小时饮用。

鲜薄荷茶不但令你睡得安稳，而且可以医治半夜小腿抽筋的症状。薄荷叶可以生吃之外，也可以把它剁碎用来炒蛋。老人家说这道菜是治头风的良药。

至于在何处购薄荷叶，当然是山草药档，即是售卖神仙草、臭草、竹蔗茅根等那一类小档。如果你仍然找不到的话，我提议你去买盆栽，如花墟那种花店找找看，一定有盆栽式的鲜薄荷叶出售，大概十块钱港币一盆，拿回家边饮用边种植，相当有意思。而且培植的方法又干净又简单，放在窗台有阳光照射的地方即可，又能让环境添加美感，一举几得，何乐而不为？

失眠者宜戒甜食

治失眠有好些有效的方法，例如食疗、运动，有失眠症状的朋友有没有需要戒吃呢？

戒的食品就是糖。当然也包括了一切甜品。

尤其是女士特别爱吃的甜点，如糖水、朱古力糖、甜饼等。又在晚饭后或临睡前都爱吃碗糖水。原来这些甜点都是造成失眠或者半夜醒来不能再入睡的原因之一。

所以，如果你有睡不安宁的情况，就要尽量戒甜食。

如果我们经常吃甜食，虽然可以获得大量的热量，增加体重，但这些糖水、朱古力糖、雪糕、甜饼等一类的甜食，多数都缺乏营养，尤其是维生素，影响到大脑的正常功能失调。于是不但会令人睡不安稳而且还会出现心绪不宁，动辄大发脾气。

所以，如果你的上司是个脾气不稳定，喜怒无常的人，我建议你不要请他(她)吃糖及一切甜食,没必要累人累己。

记得我们小时候的糖(candy)都是硬的,要含在口里一段时间才完全溶掉。而现在的都是软糖,放进口里不得不咀嚼,就这样三下五除二的,一下子就解决了。

原来研究结果指出,口内含糖时间过长,容易造成口臭,有损仪容。此外,如果生疮、生癣疥等皮肤病也不宜多吃糖,因为会使血糖增高有利葡萄球菌的生长,使皮肤受感染,不易痊愈。

Dill 草助你入睡

小时候最怕吃葱、芫荽(香菜)、蒜头一类味道浓烈的调味菜，现在却是无葱不欢。不论是炒菜、煮肉、蒸鱼，如果没有放进一点芫荽、生口之类的调味菜就觉得这一道菜不够完美。原来人的口感是会改变的。我以前最怕吃用来蒸鱼的榄角，边吃边打冷颤，现在却认为是人间美味之一。

在西餐的配菜中，有一种叫 Dill(莳萝草)的，你一定见过。

如果你点煎龙蜊鱼柳的话，碟子上放着的酱汁里，必然混了一些细线一样的绿色植物，入口味道清新可人，这就是 Dill。这种香草在古埃及时代已经出现，那时代的人用 Dill 来医治打嗝、肚痛、胃痛等。

我则喜欢一大杯滚水加入一大匙 Dill 草，焗十分钟后饮用。这是一位外国朋友教我的。晚上，眼直直的睡得不好时，饮一杯 Dill 草泡开水后，很快就能安然入睡。

这种 Dill 草在高级的食馆和超级市场都可以买到。

酒浸葡萄治颈背痛

你有颈痛吗?你有背痛甚至肩痛吗?

这些痛症,大都是因为工作的缘故而造成的,就是我们所称的职业病。一般的治疗方法当然是去看医生,或者去接受推拿或按摩。

还有其他方法吗?当然有,但却十分另类,且听我细细道来。

我认识的一位资深病理科医生,因为二十年来,天天都要低头看显微镜,长期下来,颈部变得又梗又痛,令这位医生苦不堪言。

一年前,情况更加严重,经专科医生诊断,认为必须做手术,以抢救出了大问题的颈骨。当这位病理科医生正安排申请假期入院做手术期间,一位老人家提议这位医生自制杜松子酒(Gin)葡萄来吃。

医生依法炮制并每天进食,结果颈部的病症给医好了,不必入院做手术之外,还消除了颈痛。这种能治颈背肩痛的葡萄制法如下:

材料及用具： 一个小型玻璃水杯，一小包红葡萄干（超
级市场有售）、保鲜纸、一支 Gin 酒（在
超级市场买，如酒架上没有摆放，可以
向收银员查询）。

制法： 把一小包红葡萄干全倒入玻璃杯内，再倒入
适量的 Gin 酒（浸过葡萄就可以），然后用保
鲜纸把杯口封密，24 小时后可以服用。有些
人每次吃 20 粒，有人吃 10 粒，按你的需要
而定。吃完一杯再浸第二杯。如果你受得
住，可以把浸过葡萄干的 Gin 酒喝掉，也可
分开几次喝。

也不要忘记做些舒展四肢的运动甚至动作，以作辅助。

青葡萄干加白兰地

继红葡萄干浸在松子酒(Gin 酒)医腰酸背痛之后,有一班朋友对我说,青葡萄干浸白兰地(Brandy)一样能医百病,而且可能比红葡萄干浸 Gin 酒还有效力。同时,浸过白兰地的青葡萄干也非常好吃。

材料: 青葡萄干一大盒或者一小盒(超级市场有售),白兰地一支,普通的就可以,不必用蓝带或者XO 这么高级。

此外,平底大碟一只(托盘形的)。

制法: 把青葡萄干分散地放在平底碟子上。倒入白兰地,只须浸过葡萄干表面即可。然后放到通风的地方,不必加盖,让酒精自由挥发。

一天、两天或三天后,当酒精完全挥发掉,只剩下吸满了白兰地的葡萄干,即告完成。

这时把白兰地葡萄干放入盛器如罐子或瓶子内,每日吃十五至二十粒。

吃了大概十天、半个月,背痛、脚痛、腰痛便会慢慢消除,而且会令血气运行,面色红润。

大家不妨试试看，把它当作日常的零食一样，有空吃几粒，一日吃够十五至二十粒。有病医病，无病则护肤。真是十全十美，一举两得，既便宜又有益。同时这种特别零食，又可为你带来新口味，何乐而不为呢？

治关节炎奇方

收到一位八十多岁署名"陈"的长者的来信，说要跟大家分享他曾经使用过的"治关节炎奇方"，以"助人解除痛苦，积福延寿，功德无量"。

陈长者在信中透露，"以前本人曲膝时必有怪声，自从服食酒葡萄一个月之后，便已无声，且可以上下行动，过街、上车等弯腰亦不须靠墙；几星期后，我的关节炎及脚趾已消肿不痛，继续服食三个月后，手指可以握拳……背部亦不觉痛，亦可操针缝纽。"

陈长者忆述他获得此秘方的来龙去脉："去年（二〇〇〇年）九月，有个麻省朋友 Hynnls，给我这秘方。她是从一个脚科医生处得到的。一次这脚科医生在她的办公室起立时感到困难，而同时她却发现她病人的脚趾和膝部已消肿，残废的手放在桌上也可伸直，这全靠两个月来每日服食酒葡萄的功效。该医生未退休前是 George Town 医学院的副院士，后来她回校探访同事时，一个朋友告诉她医校的风湿专家常用这药方给病人（脚医和她的朋友服食这酒葡萄已三十年）。"

(1)将一盒黄色葡萄干(即提子干)放入一个浅的器皿内。

(2)用 Gin 酒倒入器皿内，至全部葡萄干浸过为止。

(3)不封盖摆放，直至全部流质(Gin 酒)被葡萄干吸收(约需七天)，间中搅拌，以助流质快速吸收。

(4)将制好的葡萄干放进有盖器皿内，每日食九粒，如不喜欢吃葡萄干，可将其放进沙律或 cereal 内同食(或每次五粒，日食二次)。

为什么这药方有这样的功效呢?

陈长者解释道："远在《圣经》早期，印度和埃及的民族已发现 Juniperberries 有医治功能，Gin 酒是用 Juniper berries 及其他谷类酿成的。医生说，即使你现在服食其他药酒，或医生嘱你不要喝酒，可不必禁忌，因为酒精早已蒸发，只剩下的少量酒精是无妨的。"陈长者说，这种酒萄葡干且有行血、舒筋活络的功效。

看来制作过程与我之前提及的酒浸萄葡干颇为相近。也许陈长者提供的这个制法比我以前提供的还要有效，大家不妨依法炮制。总之可以令身体更加健康的就要接纳。

天然止头痛剂

姜可以治疗偏头痛?听说几百年来，印度的传统治疗师(即如我们的中医)就常常用姜来治疗有关神经系统的疾病，例如头痛、常常作呕作闷、癫痫等等。

其中一个案例是一位中年妇女，自二十多岁开始患上了偏头痛，最初只持续两至三分钟，随着年纪的增长，偏头痛竟可一次痛三、四小时。初期是小痛，一个月发作一两次，后来是大痛，一个月痛两至三次，痛的时间不止三、四个钟头，令她十分痛苦。二十年来吃尽不少古灵精怪药，但头痛依旧。

年前她听说吃姜可以治疗，马上不管三七二十一，决定死马当活马医。于是那一日，当头痛又发作时，她就把半茶匙姜粉，溶入一杯热开水中喝下。三十分钟之内，头痛消失了。

为了防患于未然，她每隔三小时左右就饮一杯姜水。

结果，偏头痛的次数逐渐减少，以前是一个月发作三次，现在是几个月才发作一次。

生姜茶

姜为什么能治疗偏头痛呢?

据专家说,大部分辛辣的香料,都有消炎的作用,而其中最受重视的就是姜。美国的印第安人用姜来治疗关节炎,已经有好几百年的历史。目前未听说过吃姜后会有副作用,有些人会出现便秘倒是真的。

听说十多年前当生姜有消炎作用这个消息传出之后,一个患有风湿性关节炎的五十岁男子,立即行动每日吃生姜,一个月后,疼痛竟然消失了,连关节肿胀也减轻了,走路时不再一拐一拐。

据说,姜可以阻挡组织胺,亦能抑制摄护腺素(造成发炎的化学物质之一)。因此,如果你有偏头痛或关节炎,每日饮姜粉开水,每次半茶匙,每天两杯。这是个十分安全的方法(没有人会因吃生姜而得病或遇上其他副作用),见效期应是四至十二星期。

如果你的"痛症"比其他人严重,则一天内可多饮几杯生姜茶。

姜,不但不会吃坏人,且对身体有益。

姜醋蛋

写过有关醋蛋的好处，许多读者以及我的亲朋戚友，马上响应。有人制作成功，有人失败。有人吃了几个星期后，发现关节炎痛楚逐渐消失，皮肤好转，变得细致，最重要是整个人都神清气爽，心情愉快。但有人吃了几个星期却察觉不到自己有什么地方进步了，还是常人一个。

有些食疗是属于有病医病，无病健体的，而且也因体质而定，所以不必太在意。总之身体健康、精神奕奕已经是上天的恩赐。

我有一位八十岁的婆婆邻居最爱吃姜醋，尤其是冬天，家里总会放着一大煲姜醋蛋。这位老人家坚挺健壮，声如洪钟及好力气。可以五湖四海的飞来飞去，一个人手挽两只小皮箱，叫部计程车就直奔机场。

她听见我提及醋蛋，就说："做什么醋蛋，浸来浸去烦到死。烫一锅姜醋蛋还不是一样。你看我几十岁，从来没有什么痛症，又没有骨质疏松，是吃了几十年姜醋蛋的成果。"

这位婆婆指点，煲姜醋的蛋要连壳煲。

黑糖老姜热饮

曾建议大家饮姜茶治头痛(以半茶匙姜粉开水,每日饮两杯),之后接到许多读者来信大赞这剂茶顶呱呱,既能驱寒,又能令人精神舒畅。

后来收到吾友 Teresa 传来一条养颜单方说,如果有哪一位女士如果平常有头晕眼花,行经期间又出现头痛、肚痛、经量又多,且一来就是十天半个月的话,她建议这些女士最好在这段时间用黑糖和老姜煮水喝,而且这是一剂多喝无妨的饮品。

Teresa 说黑糖能活血,而姜是热性的食物。在乡下,妇女坐月子时都要吃些黑糖。经痛及经量特多,多饮黑糖和老姜煮的姜茶,会令小腹不再绞痛,头痛很快消失,经量也减少了。据说比吃止痛药还要快见效。

黑糖和老姜不但能治病,在北风呼呼,冻得人牙关打颤的冬天,饮一碗热呼呼的白茶,保证立即浑身冒汗,舒畅无比。

这种老掉大牙的偏方,不单花钱少,且无副作用。正所谓,有病医病,无病健体养颜,大家何妨一试!

路路通

有一日，我妈妈见我在写有关便秘的治疗方法，就非常不以为然说道："要天天通便还不简单，多吃番薯(地瓜)呀。"

我马上反问："听讲吃番薯会放屁的。"

"放屁总好过便秘嘛。"我妈说。

我问该如何吃法，蒸、烩还是煮？

我妈答说，怎么个吃法都没有关系，以前乡下人爱把番薯原个的放在饭面上一起蒸熟来吃，也有把它烩熟的，或者用火烘熟，甚至把它切件煮番薯糖水，也一样美味兼通便。

我妈强调说，吃番薯通便这个方法是百发百中，一次就见效，接着还倚老卖老："你听过《本草求原》没？这本书清楚地说明，番薯可以凉血活血、宽肠胃、通便秘、去宿淤脏毒。所以你不妨也告诉读者，他们要时不时吃点番薯来清理肠胃。"

原来番薯叶也有通便的功效，方法是用油盐像炒菜般炒来吃。早晚空肚吃一次，保证路路通。

萝卜汁加蜜糖

便秘不仅对皮肤造成无法弥补的伤害，而且还会令人心情烦躁，精神恍惚，整天恹恹欲睡。最惨的莫过"欲便不得"，令到肚腹胀痛。这种欲便不得的情况，老人家称之为"气秘"。但有什么方法可以消除气秘，令大便畅顺呢？

根据我的明查暗访所得，方法很简单。

材料： 白萝卜250克，蜜糖少许。

制法： 把白萝卜去皮，然后洗净，再切成小件，放入搅拌机内榨汁。把萝卜汁倒入杯中，加入一茶匙蜜糖，搅匀，空肚时饮用。每日一次，直至大便畅顺为止。

但如果你或你的家人，有习惯性便秘，例如三、四日也不用去大便的，我建议你服食马铃薯汁，这是一位读者来信推介的，说此方灵验非常。

制法： 把两个马铃薯去皮切片洗净，放入搅肉机内搅成糊状，用消毒纱布绞取汁液。

用法： 每日早上空肚饮半杯，午饭前再饮半杯，大约服用二至四日见效。

每日 2 只香蕉

有什么办法可以治痔疮，但又不必到医院做手术？

要医治痔疮又不用做手术的方法，我提议你吃香蕉。根据《岭南采药录》的说法："治痔及便后血：香蕉两个，不去皮，炖熟，连皮食之。"每日吃一次。香蕉是属于寒凉水果，但味道甘美，有清热、滑大肠和解毒的功用。

痔疮是某些行业的职业病之一，最常见是司机、记者以及三行工人，主要原因是因工作关系常常要忍大便，日久而形成便秘，或大便干结，但又不晓得该吃些什么食物来化解，于是长期下来，痔疮便出来了。

为了预防痔疮的发生，而你的工作又要"忍"的话，我提议你每日早晨空肚吃香蕉一至两只，担保痔疮远离你。

驱走便秘

上文提到食香蕉治便秘的方法，现在多教你三个医治痔疮的方法。

第一个是吃菠菜。这种菜对便秘特别有效，只吃一次，翌晨便会非常畅顺。某食谱对菠菜的介绍这样写道："菠菜，开胸膈，通肠胃，润燥活血，大便涩滞及患痔者宜食之。"菠菜属凉性食品，有养血、止血、通便的作用，凡是久病大便不通，最适合吃菠菜。

第二是吃黑木耳。《本草纲目》记载："黑木耳治痔。"早在清代，已经盛传："黑木耳补气耐饥，活血，治跌仆伤。凡崩淋血痢，痔患肠风，常食可疗。"所以，平日的食物中也应该加入黑木耳，煲汤或者蒸煮等。

第三个是韭菜。由于韭菜有行气、活血的作用，而且含有粗纤维，比较坚韧，不易被胃肠消化吸收，可以促进大肠蠕动，防止便秘，所以能预防痔疮发生。

肠胃天天畅顺，皮肤自然光滑有弹力。

消除经痛

我认识的许多女朋友都不喜欢吃姜，或者任何与姜有关的饮品和食品都不会"沾"，更遑论要她们饮黑糖姜茶了。

这是个人的口味问题，强迫不得。

既然不喝姜茶，但行经时总是有许多的不舒服，除了姜茶外，还有其他食品可以帮忙一下吗？

当然有。我建议你吃黑糖红豆汤，煮法简单，就是象平日煮红豆汤一样，只是加入的不是冰糖或是片糖，而是黑糖而已。

因为黑糖能活血，红豆能补血。所以女士们行经期间，或者前后，吃热黑糖红豆汤，马上令经期更顺，且减少痛楚。比利用药物来止痛或是调经，效果好得多，至少是安全，不怕有副作用。

科学越是进步，药物的副作用就愈让人害怕，A 药传说会导致不孕，B 药又给传说服用后会生怪胎。总之什么样的后遗症都有，烦都烦死人。

治闹肚的食品

据说茨实性味甘涩，最大的功用是补脾止泻，适合常常闹肚泻的人服用。

服食的方法：适量的茨实、莲子、淮山药、白扁豆混在一起，然后把它们一同磨成粉末，加白糖蒸熟当点心吃。

亦可以把适量的茨实先研碎，然后加入粳米煮粥服用。

如果是轻度腹泻的话，苹果亦非常有效。食法是把一个苹果去皮去核，然后用搅肉机把它搅成泥状，空肚服食。一日可吃三、四个，但不得吃其他东西，一、两天内即可恢复正常。因为苹果含有鞣酸和有机酸，两者均有收敛作用。

原来腹泻也有型号，一种是脾虚型腹泻，一种是寒湿型腹泻，一种是湿热型腹泻，然后还有阳虚型腹泻、伤食型腹泻，以及肝脾不调型腹泻，真是洋洋大观。

脾虚型腹泻宜吃蚕豆、菱角、党参、白术、羊骨；寒湿型则宜吃大蒜、生姜、大葱等；湿热型宜吃西瓜，可清热，其他还包括薏苡仁、绿豆等；阳虚型应多服食羊肉、羊骨等；伤食型宜吃山楂、胡椒、槟榔等；肝脾不调型则宜吃木瓜、米醋等。

腹泻是一天内排便次数增多，粪便泻出如水一般，且有时伴以腹痛。而腹泻又分为急性和慢性。前者大多数是肠道感染所致，慢性的成因至复杂，一定要看医生。

鲜柠汁治耳鸣

关于柠檬，有这样一个传闻，话说一位仁兄几年前患上了耳鸣，令他不开心之外，还出现情绪不稳定的情况，烦恼之极。看了医生，医生给他吃镇静剂，并且叫他尽量放松，不要太紧张。吃过镇静剂后，果然舒服了许多。可是如果哪一天他忘了吃药，晚上耳鸣就来了，吵得他不仅不能入睡而且整个人非常烦躁。

这样的治标不治本方法令他十分的吃不消。一日，他偶然听人家说，鲜柠檬汁可以治耳鸣，他当然雀跃不已并依指示饮起鲜柠檬汁来。

方法是，每日饮一个分量的鲜柠檬汁，连续饮五十天，饮的时候，不可一饮而尽，而是一口一口的来，说这样喝法才能产生药效。这位仁兄就依着做了：先把柠檬切开两半，然后用手出力地把汁榨出。

为了榨起来比较容易，经验人士提议，榨汁前先用手拍打柠檬几下，然后才切开两半。

结果，当然是耳鸣没有了，还因此整个人变得精神奕奕，抵抗力加强，不易患感冒，连皮肤也滑净起来，这是他始料不及的。

柠檬的原产地是西非，它的芳香气味非常清新，且带着一种令人安心的干净感。连它的花朵(白色)和叶子都有这种强烈的芳香味道，可以说是魅力无限。

大家要注意的是，一个柠檬分量的汁，可以分早晚来饮，不必一次饮掉。

猪油治燥咳

除了橄榄油对皮肤有益外，其他如芝麻油、花生油、茶花籽油、鱼油都是有益身体的食油。就是猪油，都是有其营养价值的。

一般来说猪油又称为猪膏，性味甘、凉。其功能是补虚、润燥、解毒。《本草图经》说它有"利血脉、解风热、润肺"的功效。

如果你有亲友脾虚久泻，或者大便燥结，肾虚、头发早白等，可以用猪油来烹调下列食品。

材料： 猪油 80 克、核桃仁 10 克、扁豆 150 克、黑芝麻 10 克、白糖 200 克。

制法： 先将扁豆剥皮，然后把豆加少许水，蒸烂取出，把水挤掉，把豆蓉搅成泥状，用细纱布过滤，再把余下的渣捣到变成泥状。之后，把黑芝麻炒香，磨成粉末。

把锅放在炉上烧热，放入猪油再热。倒入扁豆泥翻炒，直至差不多干身，放入白糖一直炒，炒至不粘锅底，再放入猪油、黑芝麻、白糖、核桃仁，混合炒片刻，即成美味食品。

此食品亦是中年和老年人应该常食的保健食品。

如遇上肺燥咳嗽，可以用猪油制成以下疗方：

材料：猪油 100 克、蜂蜜 100 克。

制法：把猪油用小火煎煮至滚，停火，晾凉；把蜂蜜用小火煎滚，停火，晾凉；把二者混合调匀即成。

用法：每天两次，每次服一汤匙。

止咳与美颜

天气一旦转凉，有些人体质较弱，马上会有咳嗽现象。据老人家说，咳分寒咳和热咳之分。

寒咳的民间医治方法是：

(1)生姜九克，切片，红糖少许，用开水冲泡当茶饮用，连续饮二至三天，咳嗽便自动消除。

(2)芫荽——新鲜芫荽一扎，葱白(葱切去绿色部分)十条，用一汤碗水把二者同煮约两分钟，当茶喝。每日两次，连饮二至三日。芫荽有化痰补肺作用。

至于热咳，坊间医治方法是：

(1)薄荷——用薄荷叶数片泡开水(焗五分钟)饮用。薄荷本身性凉，善于疏风散热。

(2)豆腐——可用日常方法煮食，亦可用豆腐皮一张，适量的冰糖，加少许水煮熟后食用。因为据说："豆腐可以清肺热、止咳、消痰。"豆腐的制法是将黄豆磨烂，加入生石膏后制成，有清热润燥效用。所以，日常多吃豆腐对身体也有好处。

Caper 叶治痛风

想起胡椒，不期然会令我想起 Caper 这种西餐中的配菜。

Caper 因为味道带酸，于是我们称之为酸豆，它的学名应该是"刺山柑"，是一种藤蔓小灌木植物的花蕾。即是说它不是豆，亦与豆拉不上关系，只是圆圆的一小颗绿色，像豆，故叫做酸豆。

你一定见过这种配菜，如果你在西餐厅点一份烟三文鱼的话，碟中的配菜除了鲜柠檬片、洋葱粒、蛋白粒外，必定还有十来粒绿色的(像煮烂一样的)酸豆。

我不喜欢吃，嫌它的味道怪，但我有些朋友却以"爽口味美、欲罢不能"来形容它。

我的朋友黄医生说，这种产于地中海一带、有千百年历史的酸豆，原来可以促进食欲，又可以帮助消化，此外，还能驱风、利尿、除湿、医治女性的月经异常，以及肝病等等。这种 Caper 的叶可以治痛风，把叶春烂，连汁敷在患处即可。看来，我该多吃 Caper，以促进健康。